D0347291

Karmienie dziecka

ANF
CHILD CARE

91100000085068

BRAZELTON
Thomas B.

Joshua D. Sparrow

Karmienie dziecka

Jak dbać o zdrową i smaczną dietę

Przekład: Agnieszka Cioch

Sopot 2014

Tytuł oryginału: *Feeding your child. The Brazelton Way*

Copyright © 2004 by T. Berry Brazelton, M.D., and Joshua Sparrow, M.D.
First published in the United States by Da Capo Press, a member of the
Perseus Books Group.
Opublikowano po raz pierwszy w Stanach Zjednoczonych przez Da Capo
Press, członka Perseus Books Group.

Copyright © for the Polish edition by Gdańskie Wydawnictwo
Psychologiczne, Sopot 2013.

Wszystkie prawa zastrzeżone. Książka ani żadna jej część nie może być
przedrukowywana ani w żaden sposób reprodukowana lub odczytywana
w środkach masowego przekazu bez pisemnej zgody Gdańskiego
Wydawnictwa Psychologicznego.

Wydanie pierwsze w języku polskim 2014 rok

Przekład: Agnieszka Cioch
Redaktor prowadząca: Patrycja Pacyniak
Redakcja polonistyczna: Agnieszka Łysik
Korekta: zespół
Skład: Mirosław Tojza
Projekt okładki: Monika Pollak
Zdjęcie na okładce: © 123RF/PICSEL

ISBN 978-83-7489-542-2

Druk i oprawa:
Wrocławska Drukarnia Naukowa PAN
ul. Lelewela 4
53–505 Wrocław

Gdańskie Wydawnictwo Psychologiczne Sp. z o.o.
ul. J. Bema 4/1a, 81–753 Sopot
tel./faks 58 551 61 04
e-mail: gwp@gwp.pl
www.gwp.pl
www.wydawnictwogwp.pl

Dzieciom i ich rodzicom,
od których przez lata tak wiele się nauczyliśmy.

Spis treści

Rozdział 3
Problemy z karmieniem 139

Spis treści

Przedmowa

Od czasu, gdy w 1992 roku ukazał się pierwszy tom książki *Rozwój dziecka*[1], wielu rodziców i pracowników medycznych namawiało mnie do napisania kilku krótkich, praktycznych książek omawiających typowe wyzwania, przed jakimi stają rodzice w procesie wychowywania dziecka. Do najważniejszych z tych wyzwań należą: opanowanie płaczu, wprowadzenie dyscypliny, usypianie, trening czystości, rywalizacja między rodzeństwem i żywienie. Tematy te omawiamy w kolejnych poradnikach[2].

Pięćdziesiąt lat pracy w charakterze pediatry pozwoliło mi zaobserwować, że problemy, które pojawiają się we wspomnianych obszarach rozwoju dziecka, z reguły są bardzo przewidywalne. W serii krótkich poradników

---

[1] Polskie wydanie ukazało się w 2013 roku nakładem Gdańskiego Wydawnictwa Psychologicznego (przyp. red.).

[2] Nakładem Gdańskiego Wydawnictwa Psychologicznego ukażą się w 2014 roku pozostałe książki z serii, dotyczące: snu, dyscypliny, rywalizacji z rodzeństwem i uspokajania dziecka (przyp. red.).

podjąłem zatem próbę omówienia trudności, z którymi rodzice z pewnością zetkną się w momentach przełomowych, kiedy ich dziecko ulegnie regresowi przed dokonaniem kolejnego skoku rozwojowego. Poradniki te przedstawiają punkty zwrotne w rozwoju – w kontekście płaczu, dyscypliny czy snu – ułatwiając rodzicom lepsze zrozumienie zachowań malucha. Każda książka oferuje również konkretne rady, jak wspomagać dziecko w pokonywaniu czekających je wyzwań, tak aby jego rozwój przebiegał harmonijnie.

Ogólnie seria koncentruje się na zagadnieniach charakterystycznych dla pierwszych sześciu lat życia, choć sporadycznie odnosimy się również do kłopotów ze starszymi dziećmi. W ostatnim rozdziale każdej książki omawiamy problemy szczegółowe, należy jednak pamiętać, że ze względu na niewielką objętość nasze poradniki nie mogą wyczerpać danego tematu. Nie mogą też zastąpić specjalistycznej diagnozy lekarskiej ani leczenia. Mamy nadzieję, że posłużą rodzicom raczej jako czytelne drogowskazy, pomocne w trudnych dla dziecka momentach przełomowych przed nadejściem kolejnych pasjonujących etapów rozwoju. Źródła dla rodziców poszukujących bardziej szczegółowych informacji zamieściliśmy w bibliografii.

Podobnie jak w przypadku obu tomów *Rozwoju dziecka* zaprosiłem do współpracy doktora Joshuę D. Sparrowa, aby wzbogacić swoje poradniki o punkt widzenia psychiatry dziecięcego. Wprawdzie typowe trudności związane z karmieniem, takie jak odmowa jedzenia, odstawianie od piersi czy zamieszanie przy posiłkach, są powszechne i przewidywalne, to jednak stawiają rodziców przed trudnym i odpowiedzialnym zadaniem. Zwykle są to problemy przejściowe i niezbyt głębokie, ale bez wsparcia i zrozumienia mogą przytłoczyć rodzinę i poważnie zakłócić rozwój dziecka. Nie chcemy zarzucać rodziców nadmiarem rad, które mogłyby ich powstrzymać od podążania za rodzicielskim instynktem i intuicją, pragniemy raczej zaoferować im wsparcie, tak bardzo potrzebne w dążeniu do zrozumienia dziecka i utwierdzeniu się we własnej wiedzy i kompetencjach. Mamy nadzieję, że proste i przystępne informacje zawarte w naszym poradniku pomogą uniknąć tych niepotrzebnych zawirowań, a rodzicom dodadzą otuchy i sił w chwilach zwątpienia oraz przywrócą im radość płynącą ze wspomagania dziecka w rozwoju.

Podziękowania

Pragniemy z całego serca podziękować rodzicom z różnych części Stanów Zjednoczonych za to, że podsunęli nam pomysł napisania serii zwięzłych, przystępnych poradników na tematy istotne właśnie dla nich[3]. Bez ich ogólnej koncepcji seria ta prawdopodobnie nigdy by nie powstała. Wdzięczność za niezachwiane wsparcie dla naszego przedsięwzięcia zaskarbili sobie także Geoffrey Canada, Marilyn Josephs i cały personel Baby College, Karen Lawson i jej zmarły mąż Bart, David Saltzman oraz Caressa Singleton. Tak wiele się od nich nauczyliśmy! Osobne podziękowania należą się specjalistce w dziedzinie dietetyki Susan Frates za staranne przejrzenie rękopisu i cenne wskazówki. Jak zawsze dziękujemy też naszej redaktorce Merloyd Lawrence za ogromną wiedzę i kompetencję. Jesteśmy również niezmiernie wdzięczni naszym rodzinom nie tylko za cierpliwość i zachętę, ale też za cenne lekcje życia, których nam wciąż udzielają i które mogliśmy wykorzystać przy pisaniu tej książki.

---

[3] Wszystkie tytuły serii ukażą się w Gdańskim Wydawnictwie Psychologicznym w 2014 roku (przyp. red.).

Rozdział 1

Nadrzędne zadanie rodziców

Matki i ojcowie uważają żywienie dziecka za swoją misję. Od chwili, gdy wyczują pierwsze ruchy płodu, powtarzają sobie: „Oto nasza nowa życiowa rola. Musimy zadbać o to, by maleństwo rosło i dobrze się rozwijało. To nasze główne zadanie – jeden z najważniejszych rodzicielskich obowiązków". W swojej nowej roli rodzice widzą nie lada wyzwanie, i to na długo przedtem, nim dziecko przyjdzie na świat. Chociaż po narodzinach karmienie maluszka może sprawiać spore kłopoty, najczęściej jednak, już od pierwszego podania piersi, jest źródłem prawdziwej radości i dla niemowlęcia, i dla jego rodziców.

Momenty przełomowe – przewidywalna ścieżka rozwoju

Kolejne etapy na drodze rozwoju pokonywane przez dziecko i jego oddanych, odpowiedzialnych rodziców są z reguły przewidywalne. Nietrudno też przewidzieć okresy, kiedy karmienie będzie przysparzać trudności. Owe przeszkody – trudne chwile, które nazywamy punktami zwrotnymi lub momentami przełomowymi – często poprzedzają każdy nowy przyrost samodzielności dziecka.

Kiedy niemowlę uparcie żąda większego udziału w karmieniu – chce trzymać butelkę, kubeczek czy łyżeczkę lub zrzuca na podłogę kawałki jedzenia – rodzice często sądzą, że dziecko ich prowokuje. Moment przełomowy nadchodzi wtedy, gdy maluch osiąga gotowość, by wziąć na siebie niektóre zadania i zatroszczyć się o swoje potrzeby. Rodzice zauważają, że zaczyna iść własną drogą. Najczęstszą reakcją jest próba odzyskania kontroli – opiekunowie wolą, żeby dziecko się nie zmieniało, bo już w miarę dobrze nauczyli się je rozumieć. Zamiast tego mogą jednak dać mu więcej swobody i czuć dumę, że jest już takie zaradne. Jeżeli mama i tata zdobędą się na to, czas karmienia znów stanie się źródłem radości i czułej wspólnoty z dzieckiem.

Zmiany te określam jako momenty przełomowe, ponieważ jako pediatra zauważyłem, że oddani i kochający rodzice potrafią zupełnie inaczej spojrzeć na swoją rolę, o ile uda mi się we właściwym momencie przekonać ich, że walka maluszka o niezależność jest niezwykle istotna dla jego dalszego rozwoju. Mam nadzieję, że rozdział 2 niniejszego poradnika pomoże wam w porę zauważyć konflikt między dziecięcym dążeniem do autonomii a waszym staraniem, żeby dziecko dobrze się odżywiało. Przygotowując się odpowiednio do tych przełomowych chwil, sami stwierdzicie, że łatwiej jest wam potem planować posiłki dziecka i zachęcać je do samodzielności.

W rozdziale 3 omawiamy typowe problemy, które się pojawiają w pierwszych latach życia, gdy maluch uczy się jeść, a rodzice uczą się go karmić. Jak sami się przekonacie, nasza książka z założenia nie jest wyczerpującym przewodnikiem na temat prawidłowej diety czy dolegliwości układu pokarmowego. Zwracając uwagę na podstawowe zagadnienia, skupiamy się raczej na behawioralnych i psychologicznych aspektach karmienia od poczęcia po wczesne lata życia. Bardziej fachową wiedzę, na przykład na temat substancji dodawanych do żywności, alergii pokarmowych czy zaburzeń trawienia, znajdziecie w poradnikach specjalistycznych i źródłach podanych w bibliografii.

Duchy znad kołyski

W miarę jak dziecko rośnie, rodzice czują coraz większy ciężar odpowiedzialności za jego właściwe pielęgnowanie i żywienie. Nic dziwnego, że mają tak wielkie opory przed przekazaniem pałeczki maluszkowi, który zaczyna się domagać autonomii i chce sam dokonywać wyboru. Moja matka, wartościowa i wrażliwa kobieta, nie pozwalała, by mój brat nauczył się samodzielnie jeść. Z naszych posiłków w dzieciństwie najlepiej pamiętam jej przymilne namowy, śpiewanie i podtykanie mu pod nos rozmaitych kąsków, co przedłużało jedzenie nawet do dwóch godzin. Tymczasem to brat panował nad sytuacją. Napinał mięśnie i z całej siły zaciskał usta, a w oczach miał błysk rozbawienia, że znów udało mu się zmusić mamę do dwugodzinnej batalii i daremnych błagań: „No proszę cię, zjedz chociaż kawałek!".

To wspomnienie długo było moim „duchem znad kołyski". Termin ten zaproponowała Selma Fraiberg, psychoanalityk dziecięca, aby obrazowo opisać wpływ pewnych wspomnień z dzieciństwa na zachowania dorosłych. Mnie te wspomnienia pomogły zaplanować przyszłość. Postanowiłem zostać lekarzem, który potrafi przekuć rodzicielską miłość i poświęcenie w pozytywne podejście do wychowania, szczególnie w dziedzinie żywienia. Prowadząc swoje dzieci przez kolejne etapy karmienia, wielu rodziców odkrywa prześladujące ich „duchy", czyli wspomnienia o tym, w jaki sposób ich samych kiedyś karmiono.

Pod koniec pierwszego roku życia dziecko powinno już przejąć kontrolę nad wyborem i ilością zjadanych pokarmów. Niestety wielu rodziców bardzo niechętnie oddaje to zadanie w ręce swoich pociech. A przecież żaden rodzic nie może zmusić dziecka do jedzenia – w takich bataliach mama i tata są z góry skazani na porażkę. Jedyne, co mogą zrobić, to dać maluchowi zdrowy wybór.

Samodzielne jedzenie i dokonywanie wyboru to cel, który musi osiągnąć każde małe dziecko. Rodzice tak czy inaczej będą musieli rozstać się z błogim uczuciem, jakie budzi karmienie maluszka w ramionach. Chcąc nie chcąc, powinni nauczyć się czerpać przyjemność z posiłków w towarzystwie rocznego pędraka, który woli wykorzystywać potrawy do badań nad grawitacją, zamiast je zjadać. Ostatecznie radość płynąca ze wspólnych chwil przy posiłkach będzie dla rodziców najskuteczniejszą pomocą w kształtowaniu u dziecka zdrowych nawyków żywieniowych.

Kiedy rodzice toczą z dzieckiem nieustanne boje o to, co i ile powinno zjeść, głód malucha jakby traci znaczenie. Głód należy do podstawowych instynktów kontrolowanych przez dość prymitywną część mózgu. Jednak przy jedzeniu uaktywniają się także ośrodki mózgowe sterujące wyższymi czynnościami, które mogą go odsunąć na dalszy plan. Mały szkrab zaczyna się na przykład zastanawiać: „Czy ja muszę to jeść dlatego, że mama mi każe? Czy może mnie zmusić?". Kiedy pojawia się okazja do próby sił, sam głód może nie wystarczyć, żeby maluch zaczął jeść. Jeżeli między nim a rodzicami dochodzi do przepychanek z powodu jedzenia, to karmienie traci swoje podstawowe znaczenie – konieczności zdrowotnej i źródła przyjemności.

Czasami spięcia przy jedzeniu wynikają z tego, że rodziców prześladują „duchy" z własnego dzieciństwa, ale zdarza się, że ich powodem są charakterystyczne dla niemowląt i małych dzieci niewystarczające umiejętności ssania, połykania, koordynowania ruchów szczęki, powstrzymywania odruchu wymiotnego i tym podobne. W wielu przypadkach te czynniki się na siebie nakładają. Batalie o jedzenie zawsze są bardzo płomienne. Wszyscy rodzice wiedzą, że jedzenie jest niezbędne do przetrwania tak samo jak powietrze, a oni przecież troszczą się o życie i rozwój maleństwa. Dzieci od najmłodszych lat wykazują silne preferencje własne. Niemały wpływ na nadgorliwe podejście rodziców mają też tradycje kulturowe.

Rodzicielskie poświęcenie

Ofiarność rodziców, jeśli chodzi o karmienie i ochronę dziecka przed niedożywieniem, jest naprawdę ogromna. Uzmysłowiłem to sobie podczas badań nad niedożywionymi Indianami z plemienia Majów, które prowadziliśmy w 1978 roku w Gwatemali. Kobiety w ciąży spożywały tam 1200–1400 kalorii dziennie, chociaż prawidłowe odżywianie rozwijającego się mózgu płodu wymaga ponad 2000 kalorii na dobę (dokładna liczba zależy od wzrostu, poziomu aktywności i innych czynników).

Staraliśmy się uzupełnić dietę ciężarnych do poziomu zgodnego z normą, podając im codziennie suplement 1000 kalorii w płynie. Kobiety każdego ranka zjawiały się w naszym ośrodku, żeby go odebrać, zanosiły do domów, po czym... karmiły nim resztę rodziny! Specjalnie przygotowany dla brzemiennych kobiet suplement nigdy nie dotarł do płodów rozwijających się w ich łonach. Matki uznały, że przede wszystkim powinny nakarmić te już narodzone dzieci. Smutny rezultat był taki, że gdy dzieci, z którymi były wówczas w ciąży, osiągnęły wiek szkolny, ich iloraz inteligencji był znacznie niższy od spodziewanego.

Kiedy w końcu dostrzegliśmy oczywisty fakt, że matka, zanim sama się pożywi, najpierw da jeść dzieciom, zmieniliśmy taktykę. Przekonaliśmy te kobiety, że powinny pić suplement, aby mieć mądrzejsze dzieci. Gdy matki zrozumiały, że nie mają przyjmować suplementu tylko dla własnej korzyści, ale dla dobra przyszłego potomstwa, zaczęły go chętnie pić. Jak potężny jest instynkt macierzyński nakazujący troszczyć się o dziecko!

Rozwój mózgu w życiu płodowym

Badania z Gwatemali wykazały również silny wpływ złego odżywiania na rozwój dziecka. Stwierdziliśmy, że u dzieci niedożywionych w okresie prenatalnym lub we wczesnym niemowlęctwie niski współczynnik inteligencji jest niemal regułą. Dzieci niedożywione w życiu płodowym już w chwili urodzenia słabiej reagują na próby karmienia. Matki karmiące „na żądanie" często podają pokarm apatycznym noworodkom zaledwie 3 razy na dobę, zamiast karmić je 6–8 razy, czego zazwyczaj domagają się dobrze odżywione noworodki.

Nawet w krajach wysoko rozwiniętych rodzice równie gorliwie podchodzą do obowiązku właściwego odżywiania dziecka. Fakt, że coraz lepiej uświadamiamy sobie ogromny wpływ właściwie skomponowanej diety na zdrowie i wczesny rozwój mózgu, może skłaniać rodziców do wywierania nadmiernej presji na potomstwo. Zdarza się, że całkowicie rujnuje to przyjemność płynącą z posilania się, która po głodzie jest drugim najważniejszym czynnikiem motywującym do jedzenia.

O właściwym odżywianiu musimy się jeszcze wiele nauczyć. Tymczasem przyjmujemy, że dziecko, które potrafi czerpać przyjemność z jedzenia rozmaitych potraw, siłą rzeczy otrzyma dostateczną ilość składników odżywczych potrzebnych do prawidłowego rozwoju. Aby ukształtować u niego tego rodzaju elastyczność i zaciekawienie jedzeniem, w porze posiłku należy stworzyć przyjemną, odprężającą atmosferę. Niech to będzie czas, kiedy rodzina cieszy się tym, że jest razem. W tej książce podsuwamy wiele pomysłów na stworzenie takiej atmosfery.

Naciski ze strony innych osób wraz z rodzicielskim poczuciem obowiązku mogą w tym przeszkodzić, podobnie jak walka dziecka o samodzielność przy jedzeniu. Dlatego rodzice muszą dobrze się przygotować na przełomowe momenty rozwoju, niosące ze sobą duże prawdopodobieństwo takich utarczek. Oczywiście nadrzędnym celem pozostaje doprowadzenie do tego, by dziecko nauczyło się samodzielnie jeść i z przyjemnością zjadało wystarczające ilości rozmaitych produktów potrzebnych dla zdrowia i rozwoju. W każdej fazie przełomowej rodzice powinni też wziąć pod uwagę temperament malucha, a także wyzwania, z jakimi się zmaga na danym etapie, objaśnione w rozdziale 2.

Karmienie a temperament

Karmienie dziecka spokojnego

Spokojne, wrażliwe dziecko może zachowywać się zupełnie inaczej niż jego rówieśnicy. Łatwo poddaje się karmieniu, a w typowych momentach konfliktu może być mimo wszystko uległe. W odróżnieniu od innych dzieci w swoim wieku pozwoli się karmić długo po ukończeniu 12 miesięcy, najwyraźniej zadowolone z tego, że jest biernym odbiorcą. Aż nagle pojawia się bunt! Dziecko już się nie zgadza, by je karmiono. Często w takiej sytuacji stosuje bierny opór.

Odmowa jedzenia jest dla rodziców sygnałem, że powinni nieco się wycofać i pozwolić maluchowi na trochę samodzielności. Ponieważ nie miał on jeszcze doświadczenia z posługiwaniem się przy jedzeniu rączkami ani sztućcami, pierwsze próby mogą być bardzo niezdarne. Rozgardiasz przy każdym posiłku będzie nieuniknioną ceną za wcześniejszą uległość dziecka, bo teraz jedzenie jest dosłownie wszędzie – na całej buzi, ubrankach, stole i podłodze.

Jednak niektórzy rodzice na widok takiego bałaganu dziękują losowi: co za ulga, maluch nareszcie zaczął coś jeść po etapie całkowitego buntu! Jedynym sposobem na takie zachowania jest anielska cierpliwość. Pozwólcie maleństwu przejąć zadania związane z karmieniem, niech się uczy samodzielności. Przy każdym posiłku podawajcie mu nie więcej niż dwa kawałki jedzenia do rączki za jednym razem. Zignorujcie jego bunt i pozwólcie, żeby samo w końcu sięgnęło po jedzenie. Dotrzymujcie dziecku towarzystwa, ale nie nakłaniajcie go na siłę do jedzenia. Jeżeli zje swoje dwa kawałki, podajcie następne dwa i tak dalej, aż zacznie je rozgniatać czy zrzucać ze stolika. Wtedy pora przestać – do następnego posiłku. Nie dokarmiajcie malucha między posiłkami. I na razie nie przejmujcie się urozmaicaniem diety. Pamiętajcie, że wasze dziecko, dawniej tak uległe, bardzo szybko nabierze wprawy w samodzielnym jedzeniu. Mogłoby mu to zająć kilka miesięcy dłużej, gdyby było bardziej aktywne i wcześniej zaczęło pierwsze samodzielne próby. Bądźcie cierpliwi i zdajcie się na dziecko.

Karmienie dziecka aktywnego

Na przeciwnym biegunie znajdują się dzieci aktywne – żywe, ruchliwe, ciekawe wszystkiego. Takie maluchy znacznie bardziej niż jedzeniem interesują się widokami, dźwiękami i buszowaniem po domu. Rodzic, którego pierwszoplanowym celem jest dbałość o prawidłowe żywienie, dozna nieuchronnej frustracji i załamie ręce. „Siedź spokojnie!" – błaga zrozpaczona mama, kiedy berbeć wysuwa się z krzesełka i zawisa na jego krawędzi. Szkrab spogląda niewinnie i wyciąga rączkę po przekąskę. Takie dziecko zje cokolwiek, byle tylko mogło jednocześnie wdrapywać się na sprzęty w całym domu, wspinać po regałach, zaglądać do zakazanych szuflad i wyciągać czyste ubrania upaćkanymi paluszkami.

Od rodziców bardzo ruchliwych dzieci często słyszałem pytanie: „Czy mam ją karmić w biegu? Nigdy nie posiedzi na tyle długo, żeby zjeść coś konkretnego. Ledwo ją posadzę, już ją gdzieś niesie. Próbuję czekać, aż zgłodnieje, ale ona chyba nigdy nie jest głodna. Może powinnam dawać jej po troszkę przez cały dzień, żeby się najadła? Co mam zrobić?".

Rady dla rodziców aktywnego malucha

1. Niech pora jedzenia będzie zarezerwowana tylko dla rodziny. Podczas posiłków nie odbierajcie telefonu i nie przerywajcie ich w żaden inny sposób.

2. Kiedy maluch znudzi się siedzeniem przy stole, skończcie jedzenie. Zdejmijcie go z krzesełka i wytłumaczcie, że nie dostanie nic więcej. Między posiłkami nie podawajcie mu żadnych przekąsek.

3. Starajcie się, żeby czas posiłku przynosił radość ze wspólnie spędzonych chwil – przynajmniej na tyle, na ile to możliwe przy wiercącym się, rozrzucającym jedzenie dziecku. W miarę możliwości dotrzymujcie mu kroku – jedzcie razem z nim. Jeżeli maluch odmawia jedzenia, dokończcie swoje porcje i dajcie mu do zrozumienia, że możecie z nim posiedzieć i porozmawiać, o ile zostanie przy stole. Jeżeli jednak dziecko wierci się i chce odejść, zdejmijcie je z krzesełka, pokazując, że będzie musiało poczekać na waszą uwagę, aż skończycie swój posiłek. W końcu maluch nauczy się brać z was przykład.

4. Przy stole nigdy nie oglądajcie telewizji, nie obiecujcie też żadnych specjalnych deserów ani słodyczy, żeby namówić malucha do jedzenia.

5. Pozwalajcie dziecku jeść samodzielnie. Nigdy nie poganiajcie: „Za mamusię, za tatusia, za dziadka...". W ten sposób sami skłaniacie dziecko do testowania waszej stanowczości.

6. Nie zadawajcie sobie zbytniego trudu, żeby gotować dla dziecka specjalne, atrakcyjne potrawy – nie warto się narażać na rozczarowanie, jeżeli nie zechce ich jeść, a korzyści będą znikome. Najlepiej powiedzcie mu krótko: „Dzisiaj na obiad mamy to i to". Jeżeli odmówi, niech poczeka na następny posiłek i sprawdzi, czy ten będzie mu bardziej odpowiadał.

7. Stopniowo angażujcie dziecko w pomaganie przy przygotowywaniu posiłków, jak tylko będzie na tyle duże, by móc wykonać choćby najprostsze zadania, na przykład nakrywanie do stołu (zaczynamy od rozkładania samych serwetek!) czy wycieranie blatu.

8. Kontrolujcie przyrost wagi i wzrostu dziecka u pediatry, a w razie potrzeby poproście o uzupełnienie diety suplementami.

9. Przede wszystkim dbajcie o to, żeby posiłki nie stały się czasem kłótni, i pamiętajcie, że dziecięce krzesełko nie może być więzieniem.

Nie tylko odżywianie

Już od pierwszego razu karmienie stwarza sposobność do czułych, bliskich kontaktów. Rodzice czerpią ogromną satysfakcję z możliwości zapewnienia maleństwu wszystkiego, czego mu potrzeba, dzielą z nim także przyjemność jedzenia. Pory posiłków są okazją do odprężenia i poczucia radości z bycia razem. Jeżeli rodzice potrafią sobie radzić z mieszanymi uczuciami, jakie wywołuje w nich rosnąca niezależność malucha, dziecko będzie z radością wyglądało tych chwil i cieszyło się, że może jeść z resztą rodziny.

Zasad zachowania przy stole i ogólnego stosunku do posiłków maluch uczy się w czwartym i piątym roku życia, biorąc przykład z rodziców. Starajcie się, żeby posiłki były przyjemne. Wykorzystujcie je jako czas, kiedy można ze sobą swobodnie porozmawiać. Nie poruszajcie jednak przy stole trudnych tematów, zostawcie je na inną okazję. W dzisiejszych czasach, bardziej niż kiedy-kolwiek dotąd, rodziny – często żyjące w ciągłym stre-sie – potrzebują rytuałów przy posiłkach, które jednoczą domowników. Dzieci powinny jeść ze wszystkimi, a nie przed telewizorem.

Jeszcze o duchach znad kołyski

Rodzice siadają do stołu, mając rozmaite doświadcze-nia ze swojego dzieciństwa związane z jedzeniem. Jako młody pediatra nigdy bym się do tego nie przyznał, ale podczas gdy w pracy zalecałem rodzicom spożywanie po-siłków wspólnie z dziećmi, sam od jadania z własnymi omal nie nabawiłem się wrzodów żołądka. Po każdym posiłku bolał mnie brzuch. Łapałem się na rzucaniu uwag, które szczerze odradzałem innym rodzicom: „No, zjedzcie troszkę szpinaku, na pewno będzie wam sma-kował". Dzieci spoglądały na mnie zdumione, jakby pytały: „A niby dlaczego miałby nam smakować?". Kie-dy ociągały się przy stole, podkradałem im kąski z tale-rza, niby dla zachęty: „Lepiej jedzcie, zanim tatuś wam wszystko sprzątnie sprzed nosa".

Moje dzieci nigdy nie zapomniały moich głupawych podchodów, nie zrozumiały też, dlaczego tak bardzo za-leżało mi na tym, co jedzą i ile jedzą. Na szczęście bóle żołądka przeszły, kiedy uświadomiłem sobie przyczynę swojego postępowania – prześladował mnie duch znad kołyski, wspomnienie matki stającej na głowie, żeby skłonić mojego brata do jedzenia. Chociaż sam jakoś umykałem jej presji w czasie posiłków, napięta atmosfera i tak wisiała w powietrzu.

Wyciągnąwszy wnioski z własnych doświadczeń, radzę wszystkim rodzicom, aby – kiedy złapią się na obsesyjnej trosce o to, co i ile zjada ich maluch – na nowo przemyśleli swoje przeżycia z dzieciństwa. Owe „duchy" przeczą zdrowemu rozsądkowi, a jeśli nie jesteśmy świadomi ich wpływu, jeszcze silniej oddziałują na nasze zachowania. Kiedy otworzą nam się oczy, możemy dokonać właściwego wyboru. Ja dostałem drugą szansę od swoich wnuków. Im już nie wykradam jedzenia z talerzy, nie napominam też ich rodziców, żeby dbali o pełnowartościową dietę. I tak to robią.

Rozdział 2

Karmienie – momenty przełomowe

Ważna decyzja: pierś czy butelka?

Ostatnie trzy miesiące ciąży to okres, kiedy musicie podjąć decyzję, jak będziecie karmić maleństwo: naturalnie czy gotową mieszanką mleczną. Jako pediatra zazwyczaj umawiam się z przyszłymi rodzicami na wizytę prenatalną w siódmym miesiącu ciąży. To najlepsza pora na omówienie kwestii karmienia, bo perspektywa porodu i narodzin jest jeszcze dość odległa. Wkrótce jednak zbliży się termin rozwiązania, a rodzice będą mieli coraz więcej trosk na głowie.

Podczas wizyty prenatalnej mam okazję lepiej poznać rodziców, jeszcze zanim dziecko całkowicie ich zaabsorbuje. Każde z nich zapewne opowie mi coś o swoich planach, marzeniach i obawach związanych z przyszłą rolą rodzica. Możemy w tym czasie porozmawiać o ich zmartwieniach i nadziejach, jakie pokładają w potomku. Niemal wszyscy się zastanawiają: „Czy nauczę się być dobrą matką/dobrym ojcem? Jakie dziecko mi się urodzi?".

Kiedy pytam: „Jak zamierzacie karmić maleństwo?", stwarzam sposobność do rozważań na temat sposobu karmienia i wyboru między piersią a butelką.

Korzyści dla dziecka z karmienia piersią

Jako pediatra opowiadam się za karmieniem naturalnym. Amerykańska Akademia Pediatrii zaleca karmienie piersią do 12 miesiąca życia. Oto niektóre z argumentów.

Argumenty za karmieniem naturalnym

1. Ludzkim niemowlętom najlepiej odpowiada mleko matki, a mleko krowie jest idealne dla cieląt. Wprawdzie dzisiaj mleko modyfikowane jest coraz doskonalsze i łatwostrawne, ale u niektórych dzieci mieszanki na bazie mleka krowiego wywołują alergię. Natomiast żaden z moich małych pacjentów nie miał uczulenia na pokarm matki. U niemowląt karmionych naturalnie sporadycznie pojawia się nadwrażliwość na niektóre produkty spożywane przez matkę, które przenikają do mleka. Zazwyczaj można je od razu wyeliminować z jadłospisu. Natomiast nadwrażliwości na mleko matki na ogół się nie spotyka. Uczulenie na mleko krowie bywa początkowo trudne do wykrycia. Przez kilka miesięcy mogą nie wystąpić wyraźne, specyficzne objawy, takie jak wyprysk skórny czy zaburzenia układu pokarmowego. Jeżeli dziecko ma alergię na mleko krowie, należy wprowadzić zamiennik (zob. rozdział 3).
2. Pokarm naturalny dostarcza noworodkowi przeciwciał chroniących przed infekcjami. Obfituje w nie szczególnie

tak zwana siara – mętny, żółtawy płyn wypływający z piersi przez pierwsze dwa czy trzy dni po porodzie. Mleko matki chroni dziecko przez cały okres karmienia piersią, obniżając ryzyko zapalenia ucha i gardła, kaszlu i przeziębienia. Przypuszcza się, że zapobiega też wysypkom i innym objawom alergii.

3. Samym mlekiem matki nie można przekarmić dziecka, nawet jeśli niemowlęta karmione piersią ssą często, szybko rosną i wydają się okrąglutkie. Maluszki najprawdopodobniej stracą nadmiar podściółki tłuszczowej po odstawieniu od piersi. Dziecko należy okresowo ważyć w przychodni pediatrycznej, żeby się upewnić, czy otrzymuje odpowiednią ilość składników odżywczych i przybiera na wadze tak jak powinno. Jeśli tak, to można być spokojnym i cieszyć się chwilami karmienia.

4. Naturalny pokarm dostarcza dziecku wartościowych składników odżywczych, których najbardziej potrzebuje w pierwszym roku życia. Zawiera także niektóre enzymy potrzebne do trawienia. Nawet jeżeli matka jest niedożywiona, siły natury zapewniają wartość odżywczą jej mleka. Oczywiście dieta karmiącej kobiety ma wpływ na zawartość pewnych witamin i soli mineralnych w jej pokarmie.

Kobiety karmiące piersią powinny skonsultować się z lekarzem, zanim przyjmą jakiekolwiek leki, ponieważ niektóre substancje mogą przedostawać się z układu pokarmowego matki do mleka.

Kobieta karmiąca naturalnie powinna też pić około 2–3 litrów płynów w ciągu dnia. Zalecaną dzienną dawkę kalorii należy zwiększyć o dodatkowych 300 kalorii. Może to być jeden niewielki, nadprogramowy posiłek na dzień, na przykład warzywa, owoce, kromka chleba, porcja mięsa lub innych produktów bogatych w białko, takich jak sery, orzechy, masło orzechowe, mleko czy nabiał. Przekąski można także rozłożyć sobie na cały dzień – okres karmienia to nie czas na dietę odchudzającą! Jednak niektóre kobiety karmiące piersią mogą potrzebować uzupełnienia diety. Wegetarianki powinny w tym okresie przyjmować suplementy żelaza i witaminy B_{12}. Kobiety, które z jakichś względów nie spożywają regularnych, pełnowartościowych posiłków, w okresie karmienia powinny przyjmować multiwitaminę z żelazem. Niezależnie od tego, czy kobieta karmi czy nie, po porodzie zaleca się dalsze przyjmowanie suplementów żelaza, aby odbudować jego zapasy.

Od niedawna Amerykańska Akademia Pediatrii zaleca podawanie wszystkim niemowlętom minimalnej dziennej dawki witaminy D w ilości 200 jednostek międzynarodowych[4]. Podawanie witaminy D należy zacząć przed ukończeniem przez dziecko drugiego miesiąca życia i kontynuować przez całe dzieciństwo, aż do okresu dojrzewania. Dzieci karmione piersią, które po odstawieniu dostają mleko modyfikowane wzbogacone witaminą D, nie będą już potrzebowały suplementów. Niektórym trzeba jednak podawać dodatkowe dawki żelaza.

---

[4] W Polsce zaleca się profilaktyczną dawkę 500 j.m. na dobę od 4 tygodnia życia dla niemowląt zdrowych i 1000 j.m. na dobę od 4 tygodnia życia dla wcześniaków, bliźniąt i niemowląt żyjących w złych warunkach socjalnych (przyp. red.).

W sprawie wspomnianych suplementów poradźcie się pediatry i przestrzegajcie jego zaleceń, ponieważ wasze maleństwo potrzebuje właściwych dawek. Zbyt duża ilość witaminy D i żelaza mogłaby mu zaszkodzić.

Korzyści z karmienia butelką

Bardzo często kobiety, które nie mogą karmić piersią, mają poczucie winy. Zupełnie niepotrzebnie. Jest wiele sposobów na osiągnięcie tej samej czułej bliskości z niemowlęciem również podczas karmienia mlekiem modyfikowanym.

Niektóre matki nie mogą karmić piersią z powodów zdrowotnych. Pewne przeszkody medyczne, jak na przykład wciągnięte brodawki, problemy z laktacją czy infekcje sutka, można bez trudu pokonać, zwracając się do poradni laktacyjnej[5]. Zdarza się, że matka zmuszona jest zażywać leki, które mogą przenikać do mleka (dotyczy to niestety większości środków farmakologicznych) i stanowić zagrożenie dla niemowlęcia. Kobiety zakażone wirusem HIV nie powinny w ogóle karmić piersią ze względu na wysokie ryzyko przekazania wirusa z pokarmem.

Wprawdzie jestem gorącym zwolennikiem karmienia piersią, jeśli tylko jest to możliwe, szanuję jednak argumenty tych mam, które decydują się na karmienie butelką. Oto niektóre z argumentów i moje komentarze.

---

[5] Najbliższą poradnię laktacyjną można znaleźć za pomocą wielu stron internetowych dla rodziców, na przykład Fundacji „Mleko Mamy" (http://mlekomamy.pl/index.php?page=poradnie-laktacyjne; przyp. red.).

1. Niektóre mamy nie chcą być przez cały dzień ograniczone karmieniem. Wolą korzystać z butelki, żeby ojciec lub inne osoby mogli w razie potrzeby nakarmić dziecko. Te kobiety obawiają się, że jeśli postanowią karmić piersią, nikt inny nie będzie mógł ich wyręczyć. To nie do końca prawda, ponieważ wiele dzieci karmionych piersią chętnie pije również z butelki, jeżeli zaoferuje się ją odpowiednio wcześnie (tj. przed ukończeniem 3 tygodni). Jedna butelka dziennie nie powinna zakłócić procesu wytwarzania mleka. Jeżeli matka karmi piersią, radziłbym, żeby ojciec lub babcia zaczęli podawać niemowlęciu jedną butelkę na dobę (najlepiej w nocy), mniej więcej kiedy skończy 3 tygodnie, ale po upewnieniu się, że matka ma już dużo pokarmu. Wprowadzanie butelki wcześniej lub podawanie zbyt dużej ilości mieszanki może zahamować laktację. Natomiast czekanie z tym zbyt długo może sprawić, że maluch przyzwyczai się do piersi i będzie odmawiał picia z butelki.

2. Niektóre matki czują duży dyskomfort, karmiąc piersią. Inne z kolei nie potrafią zaakceptować zmienionego wizerunku swojego ciała. Wiele było w dzieciństwie karmionych butelką. W niektórych budzi się wewnętrzny sprzeciw, bo karmienie odczuwają jako zbytnią ingerencję w swoje ciało. Ponadto wiele kobiet czuje skrępowanie, gdy musi nakarmić dziecko przy kimś. Wszystkie te argumenty zasługują na poważne potraktowanie. Zdarza się, że dzięki wsparciu – zamiast usilnego przekonywania, określanego nawet jako terror laktacyjny – kobiety borykające się

z tymi wątpliwościami są skłonne zmienić swoją pierwotną decyzję.

3. Przy pierwszym dziecku na dostateczną ilość pokarmu trzeba czasem czekać cztery czy pięć dni. W tym czasie kobieta może mieć trudności z przystawianiem noworodka do piersi, zwłaszcza gdy na dodatek brodawki są wciągnięte lub spłaszczone. Młoda matka może poszukać pomocy u specjalisty w poradni laktacyjnej. Konsultant z poradni pokaże, jak pobudzić dziecko do ssania i prawidłowo przystawić do piersi. Jednocześnie należy często stymulować piersi do wytwarzania pokarmu.

4. Karmiąc butelką, łatwiej zaobserwować, ile niemowlę wypija. Niedoświadczeni, pełni obaw rodzice są dzięki temu spokojniejsi. Jednak u dzieci karmionych piersią także nietrudno to sprawdzić. Jeżeli dziecko moczy pieluszkę mniej więcej co cztery godziny, to świadczy o tym, że wypija wystarczająco dużo. Po każdej rutynowej wizycie w przychodni, kiedy lekarz po zmierzeniu i zważeniu niemowlęcia stwierdza, że maluch dobrze się rozwija, możecie być pewni, że wasza pociecha zjada wystarczającą ilość pokarmu.

5. Matki, które chcą lub muszą wrócić do pracy, martwią się, że będą musiały co 3–4 godziny ściągać pokarm w miejscu pracy, przechować mleko i następnie zanosić je do domu, obawiają się także, że dziecko zostanie na cały dzień bez dostatecznych zapasów. Mamę próbującą pogodzić pracę zawodową z macierzyństwem krępują też niedogodności związane z wyciekaniem mleka. Obecnie coraz więcej firm oferu-

je matkom karmiącym specjalne pomieszczenia, a wiele kobiet doskonale radzi sobie ze ściąganiem i przechowywaniem pokarmu.

6. Pracujące mamy niejednokrotnie mi się zwierzały, że już podczas ciąży bolały nad koniecznością zostawienia dziecka pod opieką innych osób. Ich głównym zmartwieniem było to, że karmiąc piersią, nawiążą zbyt silną więź emocjonalną z dzieckiem, a maluszek uzależni się całkowicie od ich obecności. Bały się, że kiedy nadejdzie czas, by zostawiać dziecko z kimś innym, żal z tego powodu będzie nie do zniesienia. Próbuję je przekonać, że właśnie bliskość i więź uczuciowa dają dziecku wspaniały start w życie, a karmienie piersią po powrocie z pracy będzie okazją do ponownego głębokiego przeżywania czułego kontaktu. Oczywiście jako społeczeństwo powinniśmy robić dużo więcej, aby wspierać karmiące matki – przez zapewnienie opieki w ciągu dnia, urlopy rodzicielskie czy udogodnienia ze strony pracodawców.

7. Chociaż nie wynaleziono jeszcze sztucznej mieszanki mlecznej dorównującej pokarmowi matki, niektóre mamy uważają karmienie piersią za wsteczne czy niedzisiejsze. Niestety takie poglądy – rozpowszechniane przez kampanie reklamowe firm produkujących mieszanki – ugruntowały się właśnie w tych częściach świata, gdzie kobiety nie zawsze stać na kupowanie mieszanek, a z powodu niedostatecznej opieki medycznej karmienie naturalne ma jeszcze większe znaczenie jako ochrona przed infekcjami. Takie kampanie reklamowe powinny być równoważone poprzez

edukowanie społeczeństwa na temat karmienia naturalnego. Wspaniałe akcje edukacyjne prowadzą Amerykańska Akademia Pediatrii oraz organizacje takie jak La Leche League[6].

Najważniejszy składnik

Emocjonalna więź tworząca się podczas podawania dziecku piersi czy butelki jest najważniejszym elementem karmienia. Chociaż każda początkująca mama musi przemęczyć się przez kilka dni, zanim maleństwo nauczy się prawidłowo chwytać pierś i skutecznie ssać, to kiedy w końcu się to uda, jej radość i satysfakcja będą ogromne. Taka sama intymna, czuła więź może i musi powstać w przypadku niemowląt karmionych butelką.

Korzyści z karmienia piersią dla organizmu matki

1. Kiedy dziecko ssie, w organizmie matki wydziela się hormon (oksytocyna), który sprzyja obkurczaniu macicy. Niezbyt dolegliwe bóle towarzyszące obkurczaniu trwają tylko 2–3 dni i świadczą o tym, że macica wraca do swoich zwykłych rozmiarów.
2. Oksytocyna pomaga też zmniejszyć krwawienie po porodzie.

---

6   La Leche League to międzynarodowa organizacja non profit, której celem jest promowanie karmienia piersią jako naturalnego, najzdrowszego i najbardziej efektywnego sposobu zaspokajania potrzeb niemowlęcia (przyp. red.).

3. Karmienie piersią działa jak naturalny środek antykon-cepcyjny – natura czuwa nad regulacją urodzin. Bądź jed-nak ostrożna – nie jest to metoda dająca stuprocentową pewność. Nawet jeśli miesiączka jeszcze nie wróciła, moż-liwe, że dochodzi już do owulacji i możesz ponownie zajść w ciążę. Wiele karmiących matek zachodzi w ko-lejną ciążę, zanim są na to gotowe.
4. Badania naukowe wykazują, że karmienie piersią zmniej-sza ryzyko zachorowania w przyszłości na raka piersi.

Jeszcze zanim dziecko się urodzi, wybierz wygodny fo-tel na biegunach, w którym będziesz karmić. Siadaj na nim z dzieckiem i wybudzaj je ze snu, żeby było gotowe do ssania. Kołysz je i śpiewaj. Karmienie piersią, tak jak i butelką, stwarza doskonałą sposobność do bliskiego kontaktu. Na początku niemowlę ssie energicznie i ryt-micznie. Po kilku minutach, kiedy zaspokoi pierwszy głód, pije spokojnie i miarowo, robiąc krótkie przerwy. Rytm ten powtarza się mniej więcej co minutę.

Wraz z doktorem Kennethem Kayem zaobserwowa-liśmy, że matki podczas przerw w ssaniu zwykle lekko po-trząsają dzieckiem, jakby chciały powiedzieć: „Jedz, jedz". Kiedy maluszek spogląda ciekawie, mówią: „Pij, kocha-nie! Jesteś taki wspaniały!". Gdy pytaliśmy matki, dla-czego to robią, odpowiadały: „Chcę, żeby dalej jadło. Kie-dy przerywa ssanie, boję się, że całkiem przestanie". Mierzyliśmy czas, po którym matki pobudzały niemow-lęta do ponownego podjęcia ssania, i porównywaliśmy z długością tych przerw, kiedy zostawiały decyzję dziecku.

Ku naszemu zaskoczeniu okazało się, że kiedy mamy spokojnie czekały, aż dziecko samo podejmie ssanie, przerwy te były krótsze, niż gdy próbowały zachęcać maluszka.

Wywnioskowaliśmy z tego, że kiedy matka w podobny sposób wchodzi w interakcję z niemowlęciem, ono odkłada ssanie i przedłuża pauzy właściwie po to, żeby rozejrzeć się i odpowiedzieć na jej zaczepki. To ważny sposób na pogłębianie więzi i wrażliwości na siebie nawzajem. Wydaje się, że karmienie piersią, rytm ssania niemowlęcia i reakcje matki są zaprojektowanymi przez naturę sposobami na to, by skłonić mamę i dziecko do wzajemnego poznawania się. Pora karmienia to czas na bliski kontakt i porozumienie; matka coraz lepiej – i z wzajemnością – wczuwa się w rytm dziecka. Podobne pauzy podczas ssania są charakterystyczne również dla niemowląt karmionych butelką, dając im szansę na równie satysfakcjonującą interakcję z mamą.

Odżywianie dziecka w życiu płodowym

Od początku ciąży niemal każda przyszła mama doznaje dreszczu wzruszenia, czując, jak dziecko rośnie w jej łonie; czerpie też satysfakcję ze świadomości, że robi wszystko co w jej mocy, by od samego początku nowego życia dostarczać mu jak najlepsze pożywienie. Oczywiście poranne mdłości mogą to nieco utrudnić, zwłaszcza podczas pierwszego trymestru. Wiele kobiet w ciąży stwierdza, że sucharki, krakersy, niegazowana woda sodowa, sok grejpfrutowy i inne tradycyjne metody pomagają lepiej znosić te niedogodności. Najgorsze mdłości ustępują najczęściej pod koniec trzeciego miesiąca ciąży.

Oprócz utrzymywania zdrowej i urozmaiconej diety ciężarna kobieta powinna zażywać witaminy, sole mineralne i mikroelementy przepisane przez lekarza podczas wizyt kontrolnych. W okresie ciąży, kiedy w istocie je za dwoje, przyszła mama potrzebuje większej liczby kalorii oraz większych dawek pewnych witamin i soli mineralnych. Kwas foliowy może zapobiegać niektórym wadom wrodzonym, ale w okresie ciąży potrzeba go więcej niż zwykle. Żelazo chroni matkę i płód przed anemią spowodowaną niedoborem tego pierwiastka. Przyjmując o połowę więcej wapnia niż przed ciążą, kobieta wzmacnia swoje kości, które mogą ulec odwapnieniu, kiedy rozwija się układ kostny płodu. W kwestii wszelkich suplementów diety konsultuj się z lekarzem, ponieważ nadmiar żelaza, wapnia i niektórych witamin również może być szkodliwy. Podczas każdej wizyty lekarz lub pielęgniarka położna upewnią cię, czy twój jadłospis, zestaw witamin i mikroelementów oraz przyrost wagi są optymalne dla zdrowego rozwoju dziecka w twoim łonie.

W okresie ciąży niezwykle ważne jest unikanie alkoholu i tytoniu, a także kontaktu z toksycznymi związkami ołowiu. Alkohol, nikotyna zawarta w tytoniu i wysokie stężenia związków ołowiu mogą doprowadzić do uszkodzenia rozwijającego się mózgu płodu. Palenie zakłóca również proces przekazywania składników odżywczych z organizmu matki do płodu przez łożysko, co zwiększa ryzyko niskiej wagi urodzeniowej. Jeżeli potrzebujesz pomocy w rezygnacji z palenia i picia alkoholu, poradź się lekarza. Pamiętaj, że zasługujesz na pomoc, a nie na osądzanie, zwłaszcza w tym szczególnym okresie.

Rola ojca

W dyskusjach o karmieniu ojcowie często czują się pomijani, choć ich głos jak najbardziej powinien być brany pod uwagę. Świeżo upieczony tata, uświadamiając sobie kluczowe znaczenie matki w życiu niemowlęcia, odczuwa jednocześnie i ulgę, i żal. W reakcji na tę nową nierównowagę sił wielu ojców uchyla się od obowiązków rodzicielskich. Inni z kolei stają się bardziej opiekuńczy w stosunku do partnerki i robią wszystko, co w ich mocy, by dziecko w łonie matki rozwijało się jak najlepiej.

Dobrze byłoby utwierdzać wszystkich ojców w przekonaniu, że mogą i potrafią wesprzeć młodą mamę w karmieniu niemowlęcia. Nic nie stoi na przeszkodzie, żeby tata towarzyszył mamie w poradni laktacyjnej, kiedy ta uczy się, jak skutecznie przystawiać maleństwo do piersi. Jak już wspomniałem, jeśli kobieta postanowi karmić piersią, zawsze zachęcam ojca dziecka, żeby pod koniec trzeciego tygodnia zaczął podawać dziecku butelkę – jednak nie częściej niż raz na dobę.

Noworodek

Karmienie piersią w pierwszych tygodniach

Kiedy tulisz noworodka do piersi, otaczając go ramionami, czasem otwiera on szeroko oczy. Może też początkowo je mrużyć. Dotąd widywał tylko przyćmione światło przenikające do wnętrza macicy, więc światło dzienne może go zbytnio obciążać. Jednak wyczuwając bliskość ciała matki, uspokaja się. Zaciska rączkę na jej palcu, często ciągnie go do buzi. Pozwól mu possać swój palec (oczywiście czysty i zwrócony paznokciem w dół). Maluch w ten sposób przeprowadza pierwsze próby ssania. Potrzebuje treningu. Wsuwając mu palec do buzi, poczujesz trzy rodzaje ruchów składających się na mechanizm ssania:

■ łagodne ruchy żujące przedniej części języka na palcu przytkniętym do podniebienia malucha;
■ miękkie, rytmiczne falowanie tylnej części języka;
■ ssące ruchy mięśni gardła i przełyku.

Obserwując uważnie, poczujesz, że te trzy ruchy początkowo działają jakby niezależne od siebie. W miarę nabierania wprawy się synchronizują. Dziecko ssie mleko skutecznie, kiedy następuje pełna koordynacja. Pomyśl, że możesz mu w tym pomóc, podając mu do ssania palec! W ten sposób maluszek przygotowuje się do ssania piersi lub butelki.

Pozycja w czasie karmienia

W pierwszych miesiącach życia dziecka prawidłowe ułożenie przy karmieniu ma kluczowe znaczenie (starszy maluch potrafi w razie potrzeby sam zmienić pozycję). Przede wszystkim sama wygodnie usiądź. Następnie ułóż noworodka w ramionach mniej więcej pod kątem 30 stopni od poziomu. Pokołysz go delikatnie z boku na bok, by go łagodnie pobudzić. Pamiętaj, że dopiero co przeszedł dość dramatyczne chwile – wypychany przez skurcze macicy z wysiłkiem przedostawał się przez kanał rodny. Nawet jeśli twoje dziecko przyszło na świat przez cesarskie cięcie, przeżyło w macicy początek akcji porodowej, co z pewnością pobudziło je do podjęcia aktywnego trudu. Tak czy inaczej, noworodek musi się teraz przystosować do środowiska pozamacicznego – nadmiernie oświetlonego i nadmiernie hałaśliwego. I tak należy mu się uznanie za to, że w ogóle jest zdolny do pewnego ożywienia. Jeśli mu się to udało, zapewne będzie także gotów do pierwszego ssania.

Sprawdź, czy nie będzie ci potrzebna dodatkowa poduszka, żeby podeprzeć malucha. Ułóż go w zagięciu łokcia, a wolną rączkę przytrzymaj swoim ramieniem. Dłonią wyrównaj pierś tak, by brodawka dobrze wystawała. Delikatnie pogłaszcz policzek i okolice ust noworodka od strony piersi. W ten sposób uruchomisz odruch szukania pokarmu. Nie dotykaj obu policzków naraz, bo tylko zdezorientujesz dziecko. Kiedy odwróci główkę, szukając sutka, od razu mu go podaj. Nie poruszaj się zbyt gwałtownie, bo przestraszysz maleństwo. Postępuj delikatnie i ostrożnie.

Karm dziecko w spokojnym miejscu. Kiedy zwróci główkę ku piersi i otworzy buzię, wsuń brodawkę tak, żeby maluch uchwycił ją wraz z otoczką. Dziecko będzie ssało najskuteczniej, jeżeli sutek oprze się o tylne podniebienie i dotknie podstawy języka. Upewnij się, czy podczas ssania maluszek swobodnie oddycha, przyciskając pierś jednym palcem, by wciągał powietrze tylko noskiem. Delikatnie kołysz go i od czasu do czasu potrząśnij nim leciutko, żeby nie zasypiał. Po rozpoczęciu ssania napije się siary, która pobudzi go do dalszego ssania.

Siara (młodziwo)

Przy pierwszym dziecku regularne mleko pojawia się dopiero w czwartej lub piątej dobie. Siara, mętna ciecz, która wydobywa się na początku z twojej piersi, jest bardzo wartościowa, zawiera cenne przeciwciała i białko. Jak już wspomnieliśmy, chroni noworodka przed rozmaitymi infekcjami.

Czy wielkość piersi ma znaczenie?

Matki o małych piersiach często sądzą, że będą miały za mało pokarmu (zwłaszcza matki w Stanach Zjednoczonych, gdzie ilość często mylona jest z jakością). Pokarm na pewno się pojawi. Kobieca pierś jest zadziwiającym organem, który odpowiada na zapotrzebowanie. Jeżeli dziecko potrzebuje więcej pokarmu, to ssie więcej, a pierś nabrzmiewa mlekiem, żeby wyjść naprzeciw jego żądaniom. Nie do wiary!

Pielęgnowanie sutków i brodawek

Hormony wydzielane przez organizm matki po porodzie mogą spowodować bolesny obrzęk lub nabrzmiałość piersi, które powiększają się w związku z wytwarzaniem pokarmu. Jeżeli obrzęk jest bolesny, to przed podaniem dziecku piersi przyłóż do nich ciepły kompres wodny, a między karmieniami – chłodny. Pomóż maleństwu się przyssać. W miarę jak dziecko wypija mleko, nabrzmiała pierś zmniejsza swoją objętość. Po kilku dniach piersi dostosują się do potrzeb maleństwa. Natomiast jeśli poczujesz w nich ostry ból lub dostaniesz gorączki, od razu skontaktuj się z lekarzem.

Na pierwszym etapie karmienia spory kłopot mogą sprawiać obolałe i popękane brodawki. Już pod koniec ciąży powinnaś wcierać w nie krem zawierający lanolinę; w ten sposób przygotujesz je na intensywne ssanie. Kiedy zaczniesz karmić, możesz pielęgnować brodawki, rozprowadzając na nich po każdym karmieniu kilka kropel własnego mleka i pozostawiając do wyschnięcia. Brodawki często zaczynają boleć, kiedy dziecko nie obejmuje ustami całej brodawki wraz z otoczką. Przed karmieniem daj maluchowi do possania swój palec. Dzięki temu już nie tak zachłannie podejdzie do ssania piersi i skuteczniej się przyssie.

Jeżeli na brodawce pojawi się bolesne pęknięcie skóry, jak najszybciej udaj się do lekarza, który przepisze ci krem lub maść przyspieszającą gojenie. Przez dzień lub dwa możesz być zmuszona karmić tylko zdrową piersią i prawdopodobnie będziesz musiała odciągać pokarm z chorej, żeby nie dopuścić do obrzęku i bólu. Jeżeli na skórze piersi pojawią się jakiekolwiek ranki lub zaczerwienienia, natychmiast pokaż je lekarzowi. Zaczerwienienie, opuchlizna, ból i podwyższenie temperatury skóry mogą świadczyć o stanie zapalnym. Infekcje i ropnie piersi można skutecznie wyleczyć, zanim się zaostrzą – im wcześniej, tym lepiej.

Jak często podawać pierś?

Na początku dobrze jest ograniczać czas karmienia z każdej piersi, aby tkanka przyzwyczaiła się do ssania i stała odporniejsza. Po kilku minutach karmienia jedną piersią delikatnie odsuń maleństwo. W tym czasie i tak zdążysz wyciągnąć z niej większość mleka. Nie odrywaj malucha na siłę, bo może dojść do uszkodzenia brodawki. Włóż palec w kącik ust dziecka, żeby wpuścić trochę powietrza i przerwać ssanie, zanim wyjmiesz pierś.

W pierwszych dniach życia noworodka trzeba karmić dość często, nawet do 12–14 razy na dobę, a każde karmienie powinno trwać krótko, by brodawki stopniowo stwardniały. Przy każdym karmieniu podawaj na zmianę obie piersi. W ten sposób zapewnisz stałe wytwarzanie mleka. Po karmieniu pozostawiony przez dziecko pokarm należy delikatnie ściągnąć, masując pierś. Przerwij masowanie, kiedy mleko przestanie tryskać. Regularne opróżnianie piersi z pokarmu pobudza dalszą laktację. Dzięki temu będziesz gotowa do następnego karmienia, kiedy dziecko być może będzie bardziej głodne. Jego uczucie głodu niekoniecznie będzie tak regularne jak wydzielanie mleka w twojej piersi.

Kiedy będziesz już miała więcej pokarmu, stopniowo przedłużaj czas karmienia do 5, a potem 10 minut przy każdej piersi. W ciągu następnych kilku tygodni dojdź do 20 minut. Po karmieniu wysusz sutki na powietrzu, a do biustonosza wkładaj miękkie podkładki.

Udany początek

Kiedy już pokonasz początkowe trudności, ty i niemowlę zaczniecie się lepiej poznawać. Wkrótce wczujesz się w jego rytm, a ono w twój – nastąpią pełna harmonia i nieopisana bliskość. Ssanie stymuluje uwalnianie w organizmie matki hormonów związanych z odczuwaniem przyjemności i wywołuje u niej poczucie niespotykanego dotąd komfortu psychicznego. Można sądzić, że karmienie piersią i jego wpływ na gospodarkę hormonalną są tak zaprogramowane, żeby pomóc ci dojść do siebie po trudzie porodu i nawiązać serdeczny kontakt z nowonarodzonym maleństwem.

Kiedy niemowlę zacznie ssać, szybko poczujesz odruchowy napływ mleka do sutków. Jednocześnie pokarm może wyciekać także z drugiej piersi, zwłaszcza na początku. Użyj ręcznika lub podkładki z ligniny, które wchłoną cieknące mleko. Wyciek może nastąpić nawet wtedy, gdy z daleka usłyszysz płacz swojej pociechy. Podaż mleka jest uzależniona od zapotrzebowania dziecka. Im więcej ono ssie, tym więcej mleka powstaje. Jeżeli jesteś wyczerpana lub przygnębiona zbyt częstymi karmieniami, zwróć się do lekarza. Zanim udzieli ci rad, kiedy i jak często karmić maluszka, zważy go, żeby sprawdzić, czy twój pokarm mu wystarcza.

Kiedy minie początkowy okres wzajemnego przystosowywania się, karmienie piersią zacznie przynosić ci radość i satysfakcję. W pewnym momencie stwierdzisz, że się udało. Duma z tego osiągnięcia dołączy do naturalnej przyjemności, jaką czerpiesz z bliskich, czułych kontaktów z dzieckiem. Każde karmienie niesie sposobność do porozumiewania się i nowych przypływów miłości. Zapewniłaś wspaniały start maleństwu, jego mózgowi i całemu organizmowi.

Karmienie butelką w pierwszych tygodniach życia

Chociaż dziecko karmione butelką nie dostanie cennej siary i przeciwciał zawartych w pokarmie naturalnym, współczesne mieszanki dla niemowląt są doskonale przystosowane do ich potrzeb. Oczywiście w kwestii wyboru właściwej mieszanki powinniście się poradzić lekarza. Mleko krowie (lub sojowe) jest przetwarzane i modyfikowane tak, by było jak najlepiej strawne, a jego skład uzupełniany jest witaminami i solami mineralnymi. Możecie być pewni, że dobrze zaspokoi ono potrzeby żywieniowe waszej pociechy. Obecnie nie zaleca się już podawania mleka krowiego w proszku, wytwarzanego przez zwykłe odparowanie.

Mleko do butelki możecie przygotować z mieszanki w proszku lub płynnej w puszce, które są gotowe do podania w kilka minut. Przygotowując mleko, postępujcie zgodnie z instrukcją na opakowaniu. Zwróćcie szczególną uwagę na podaną w zaleceniach ilość wody, ponieważ przy każdym karmieniu dziecko powinno dostać potrzebną ilość nie tylko składników odżywczych, ale i płynów. Niektórzy rodzice wlewają mniej wody niż w zaleceniach producenta, żeby mieszanka była gęstsza, a dziecko szybciej przybierało na wadze. Nie róbcie tak. Niedojrzałe nerki noworodka nie poradzą sobie z dodatkowym obciążeniem białkiem i solami mineralnymi. Potrzebują wody do rozcieńczenia zbędnych produktów metabolizmu soli i białka oraz do produkcji moczu, z którym te substancje zostaną wydalone. Jeżeli zaś dodacie do mieszanki za dużo wody, dziecko zbyt szybko zaspokoi głód i przestanie ssać, zanim przyjmie wszystkie potrzebne składniki odżywcze.

Etykieta powinna też zawierać informację o tym, jak długo można przechowywać mieszankę po otwarciu i po przygotowaniu. Otwarte opakowanie mieszanki w proszku zachowa świeżość przez miesiąc, jeżeli będzie za każdym razem zamykane. Puszki z płynną mieszanką po otwarciu trzeba zamykać bardzo szczelnie i przechowywać w lodówce nie dłużej niż 48 godzin. Nawet przechowywana w lodówce butelka gotowej mieszanki nie postoi dłużej niż dobę. Przeczytajcie też datę przydatności do spożycia na opakowaniach.

Zalecenia dotyczące przygotowywania mleka

Jakiej wody używać?

Jeżeli nie jesteście pewni, czy woda w waszym kranie jest zdrowa, do przygotowania mleka dla dziecka możecie kupić wodę sterylizowaną. Wodę z kranu możecie gotować przez pięć minut, o ile poza tym jest bezpieczna do picia, czyli nie zawiera związków ołowiu lub innych zanieczyszczeń. Zanim sporządzicie mieszankę, zawsze poczekajcie, aż woda ostygnie, żeby nie zniszczyć składników odżywczych. Nie musicie sterylizować butelek dziecka ani brodawek sutkowych, o ile myjecie je gorącą wodą z delikatnym środkiem do mycia, a do butelek używacie specjalnej szczotki. Przed użyciem butelkę należy wysuszyć.

Uważajcie na ołów

Ołów może uszkodzić rozwijający się mózg i cały układ nerwowy niemowlęcia. Jeżeli woda z kranu w waszym domu zawiera związki ołowiu (możecie ją zbadać, jeśli macie wątpliwości), musicie zainstalować specjalny filtr lub kupować wodę sterylizowaną. Nie gotujcie też wody do mieszanki w garnkach, które mogą zawierać ołów. Większość garnków raczej go nie zawiera, ale lepiej to sprawdźcie.

Podgrzewanie mieszanki

Jeżeli chcecie podgrzać mleko dla dziecka, najlepiej włóżcie butelkę do rondelka z wodą i postawcie na kilka minut na palniku. Gotowanie i podgrzewanie mieszanki mlecznej czy pokarmu matki w mikrofalówce może zniszczyć zawarte w nich składniki odżywcze i witaminy. Zanim przystąpicie do karmienia, upuście kilka kropel mleka na wewnętrzną stronę nadgarstka i upewnijcie się, że jest ciepłe, ale nie za gorące.

Pozycja przy karmieniu

Butelkę ze sztucznym mlekiem podaje się znacznie łatwiej niż pierś, ponieważ nawet na wpół przebudzone niemowlę potrafi skutecznie przyssać się do smoczka. Próbujcie jednak przed podaniem mieszanki wybudzić dziecko i pobudzić je do reakcji. Kołyszcie je i śpiewajcie mu, żeby przykuć jego uwagę.

Jak już wspomnieliśmy, staranny dobór pozycji może mieć duże znaczenie dla noworodka, który dopiero nabiera wprawy w ssaniu. Nawet jeśli maluszek kwili z głodu, nie spieszcie się i poświęcie chwilę na wygodne usadowienie się. Usiądźcie na wygodnym krześle, najlepiej na

biegunach. Unieście dziecko pod kątem 30 stopni. Mówcie do niego, żeby wiedziało, że jesteście blisko. Kiedy zobaczycie, że czuwa i jest gotowe, a może nawet rozpoznaje uczucie głodu, możecie zacząć je karmić. Przytulcie je
do siebie. Bądźcie z nim i cieszcie się bliskością! Nigdy nie
karmcie dziecka, opierając butelkę o stojak. Nie tylko jest
to zimne i bezosobowe, ale przede wszystkim maluch może się zachłysnąć pokarmem, gdy was nie będzie w pobliżu, żeby mu pomóc.

Kiedy dziecko ssie smoczek, jego buzia łagodnieje,
a rączki chwytają butelkę. Maluszek co chwila spogląda wam w oczy, pracowicie pijąc.

Odbijanie powietrza

Kiedy noworodek przerywa picie z butelki czy z piersi,
często czerwienieje na buzi i zaczyna się wiercić. To znak,
że pora na odbicie połkniętego powietrza. Żeby mu to
ułatwić, potrzymajcie dziecko w pozycji pionowej, opierając jego główkę o swoje ramię. W pierwszych tygodniach zapewne będziecie musieli robić to częściej. Z czasem wystarczy raz czy dwa podczas jednego karmienia.

Pijące łapczywie niemowlę połyka sporo powietrza.
Dziecko, które je w ten sposób, potrzebuje częstszego odbijania. Oprzyjcie maluszka pionowo o swoje ramię i delikatnie poklepujcie lub masujcie mu plecki. W tym czasie on będzie się rozglądać, wtulać nosek w wasze ramię

i prężyć się, dając znać, że bańka powietrza mu przeszkadza. Może położyć główkę w zagięciu waszego łokcia. Nagle się wyprostuje i w końcu usłyszycie odbicie.

Ten charakterystyczny odgłos sprawia rodzicom sporą satysfakcję. Warto karmić dziecko, żeby usłyszeć, jak mu się odbija po jedzeniu. Jeżeli opieranie na ramieniu nie daje spodziewanego rezultatu, połóżcie noworodka na brzuszku na swoich kolanach, z główką odwróconą na bok. Nie róbcie niczego na siłę. Niektóre dzieci, zwłaszcza te ssące spokojnie i niezbyt łapczywie, nie połykają dużo powietrza. Niemowlęta karmione piersią jedzą bardzo sprawnie i często wystarczy je podnieść do odbicia tylko raz po skończonym karmieniu.

Normalne jest także umiarkowane ulewanie pokarmu. Jeżeli dziecko zwraca dużą ilość, możliwe, że ma jeszcze zbyt słaby zwieracz w górnej części żołądka (zob. rozdział 3).

Ile zjada noworodek?

W ciągu doby przeciętne niemowlę potrzebuje zazwyczaj około 80–100 ml na każdy kilogram masy ciała. Początkowo noworodek może wypijać zaledwie 60–90 ml podczas jednego karmienia. W okresie noworodkowym dziecko karmione piersią domaga się ssania co 2–3 godziny, czyli 8–12 razy na dobę. Wprawdzie należy dążyć do tego, żeby po jakimś czasie karmić z każdej piersi po 10–15 minut, jednak niemowlę wyssie większość mleka z piersi już po pierwszych 5–7 minutach. Pozostały czas karmienia sprzyja pobudzaniu piersi do dalszej laktacji, a także zaspokaja silną potrzebę ssania noworodków.

Zbyt spokojne niemowlę, które nie budzi się co najmniej co 4 godziny, trzeba obudzić do karmienia. Jeżeli wasz maluszek wydaje się zbyt ospały i sam się nie budzi, powiedzcie o tym lekarzowi. Po 3–4 tygodniach od narodzin, kiedy piersi wydzielają już regularne ilości mleka, dziecko będzie rzadziej domagać się pokarmu, a podczas większości posiłków wypije już całe 120 ml.

Kiedy karmić?

W początkowych tygodniach należy karmić noworodka na żądanie. Jest to potrzebne maleństwu, a w przypadku karmienia piersią przyczynia się również do uregulowania laktacji. Po pewnym czasie nabierzecie wprawy i powoli zaczniecie przyzwyczajać dziecko do regularnych pór karmienia. Zwykle to matka jest wcześniej gotowa na wprowadzenie stałego harmonogramu. Kobieta może uznać, że przyszedł na to czas, kiedy zauważy, że już nie zrywa się jak błyskawica, gdy tylko bobas się poruszy lub zacznie kwilić, jak to było na samym początku. Stały rozkład ułatwia życie rodzicom i wszystkim domownikom. Niemowlę z czasem się do niego przystosuje.

Jak pomóc dziecku radzić sobie z głodem i innymi wczesnymi doznaniami

Kiedy malutkie niemowlę jest głodne, trzeba je nakarmić. Stanowczo odradzam rodzicom zostawianie głodnego dziecka, by się wypłakało. Kiedy już lepiej poznacie maluszka, poczujecie się na tyle pewnie, żeby pozwolić mu trochę pomarudzić, zanim pospieszycie z karmieniem. Niech dziecko nauczy się rozpoznawać uczucie głodu. Zaczekajcie chwilę i obserwujcie, czy trafi paluszkami do buzi i zacznie je ssać. Jeśli w ten sposób samo się uspokoi, od razu poznacie, czy jest głodne, czy tylko rozdrażnione, maluch zaś będzie miał okazję poćwiczyć samodzielne uspokajanie – a ta umiejętność przyda mu się na całe życie.

Jeżeli w takiej sytuacji mama weźmie dziecko na ręce, powinna pamiętać, że ono natychmiast wyczuje jej pokarm (już po 3–5 dniach maluch potrafi odróżnić zapach mamy od zapachu innych kobiet), i nawet jeśli nie jest głodne, może się nie uciszyć, zanim nie poda mu piersi. Najlepiej, by ktoś inny spróbował zabawić maluszka i sprawdził, czy przy nim się uspokoi.

Przybieranie na wadze i rozwój niemowlęcia

W pierwszych kilku dniach życia przeciętny noworodek traci na wadze, przystosowując się do wymogów nowego otoczenia i czekając, aż u matki ustabilizuje się laktacja. Dopiero 8–10 dni po porodzie odzyska wagę urodzeniową. Potem będzie przybierać około 30 gramów dziennie. Pod koniec pierwszego miesiąca życia powinien przytyć przynajmniej o pół kilograma. Nie musicie zaprzątać sobie głowy tym, ile dokładnie wypija, jeśli karmicie go zawsze, gdy zasygnalizuje głód. Niemowlę, które regularnie moczy pieluszkę po karmieniu, nie ma suchych ust ani zapadniętych oczu, najprawdopodobniej otrzymuje potrzebną ilość pokarmu. Jeżeli jednak dziecko rzadziej oddaje mocz i wykazuje wspomniane objawy, natychmiast zgłoście się z nim do lekarza.

Po czym poznać, że noworodek jest głodny

1. W pierwszych tygodniach płacz dziecka najczęściej oznacza, że jest głodne. Jeżeli jest przewinięte, nie daje się ukoić kołysaniem czy śpiewem i nie płacze zbyt przenikliwie (tzn. z bólu), prawdopodobnie trzeba je nakarmić.

2. Jeżeli noworodek nie jadł od ponad godziny, to możliwe, że znów trzeba mu podać pokarm. Po kilku tygodniach nauczy się wypijać więcej przy każdym karmieniu i minie więcej czasu, zanim znowu poczuje głód.

3. Kiedy dziecko domaga się karmienia, często unosi główkę i porusza nią, otwiera buzię, a nawet mlaska wargami, próbuje też ssać wszystko, co znajdzie się w zasięgu jego ust.

Po czym poznać, czy dziecko się najadło

1. Jeżeli karmicie butelką, możecie po prostu sprawdzić ilość pokarmu przyjmowanego przy każdym karmieniu. Maluszek powinien się budzić na co najmniej sześć karmień na dobę. Jeżeli się nie budzi, musicie go obudzić.

2. Jeżeli wasz maluch ssie pierś, ilość zjadanego pokarmu można ocenić inaczej. Przede wszystkim powinien opróżnić pierwszą zaoferowaną mu pierś, a często nawet i drugą.

3. Noworodek, który po karmieniu zasypia zadowolony, najprawdopodobniej jest syty.

4. Niemowlę, które często moczy i zanieczyszcza pieluszkę (co najmniej 6 pieluch na dobę, a u dzieci karmionych

butelką co najmniej kilka luźnych, papkowatych, żółtawych stolców), prawdopodobnie przyjmuje odpowiednią ilość pokarmu. Dzieciom karmionym piersią może się zdarzyć dzień czy dwa bez stolca, czasami nawet więcej, zwłaszcza po pierwszych kilku tygodniach życia.
5. Pediatra kontroluje rozwój dziecka, ważąc je, mierząc jego długość i obwód głowy. Wprawdzie w pierwszych tygodniach noworodek traci na wadze, wkrótce jednak powinien to nadrobić, a potem robić dalsze postępy w rozwoju.

Alergie na mleko

Niemowlę, które dużo płacze lub po każdym karmieniu ulewa sporą ilość pokarmu, powinno zostać zbadane przez pediatrę, ponieważ może to świadczyć o alergii na białka zawarte w mleku. Takie uczulenie może powodować bóle brzucha, rozdrażnienie, wymioty i biegunkę. W wieku 4–6 miesięcy na skórze dziecka może pojawić się płaska, łuszcząca się, szorstka wysypka, która jest kolejnym objawem nadwrażliwości na białka zawarte w mleku. Jak tylko zauważycie taki wyprysk, poradźcie się lekarza w sprawie odstawienia mieszanki mlecznej i wprowadzenia jakiegoś zamiennika. Cztero-, a nawet sześciotygodniowe niemowlęta często mają wysypkę przypominającą trądzik, którą łatwo pomylić ze skórną reakcją alergiczną. Świadczy ona po prostu o tym, że pory w skórze maleństwa zaczynają funkcjonować. Wysypki tej nie trzeba leczyć (zob. rozdział 3).

Żółtaczka

Wiele noworodków zaraz po porodzie przechodzi żółtaczkę fizjologiczną. Po opuszczeniu macicy noworodek potrzebuje już mniej czerwonych krwinek (erytrocytów) niż w okresie płodowym. Zbędne erytrocyty rozpadają się, uwalniając substancję zwaną bilirubiną, która zabarwia skórę na żółto. Żółtaczka zwykle mija samoistnie w ciągu dwóch tygodni. Jeżeli jednak stężenie bilirubiny znacznie wzrośnie lub jej podwyższony poziom utrzymuje się zbyt długo, może dojść do uszkodzenia mózgu dziecka. Aby temu zapobiec, naświetla się noworodka specjalnymi lampami, które przyspieszają rozpad bilirubiny.

Noworodki karmione piersią są bardziej narażone na żółtaczkę, ponieważ ich wątroba musi poradzić sobie z metabolizmem nie tylko bilirubiny, ale także zawartych w pokarmie matki hormonów. Zgodnie z aktualną wiedzą żółtaczka u noworodków karmionych piersią ma zazwyczaj łagodny przebieg i ustępuje samoistnie. Jednak częste karmienie piersią – paradoksalnie – sprzyja ustępowaniu żółtaczki, ponieważ układ trawienny noworodka jest pobudzany do pracy i szybciej pozbywa się bilirubiny.

U dzieci urodzonych przedwcześnie żółtaczka często pojawia się wcześniej i trwa dłużej. Zaostrzoną żółtaczkę w okresie noworodkowym mogą też spowodować inne, rzadziej występujące uwarunkowania medyczne (na przykład niezgodność grup krwi matki i dziecka), które wymagają niezwłocznej interwencji i leczenia. Konflikt serologiczny wykrywa się na podstawie rutynowych, przesiewowych badań krwi, które wykonuje się w trakcie ciąży. Personel szpitala po odebraniu porodu powinien też zlecić badania w kierunku żółtaczki i jej ewentualnych przyczyn.

W pierwszym tygodniu życia dziecka żółtaczka może się nasilać. Głównym objawem jest zażółcenie białek oczu i skóry. Jeżeli zaobserwujecie takie objawy, zwróćcie się do lekarza.

Wzajemne poznawanie się

Po kilku tygodniach pielęgnowanie noworodka stanie się znacznie łatwiejsze. Przede wszystkim zdążycie się już o nim dużo dowiedzieć. Nauczycie się rozróżniać rozmaite rodzaje płaczu[7] i nie będziecie mieli wątpliwości, kiedy domaga się jedzenia, kiedy trzeba mu przyjść z pomocą, a kiedy można dać mu szansę, żeby sam się uspokoił.

Oboje rodzice znajdują przyjemność w „rozmowie" z maleństwem przed karmieniem – kiedy mama przygotowuje pierś, a tata nalewa mleko do butelki. To doskonałe chwile na wzajemne kontakty: „Poczekaj chwileczkę. Wytrzymasz. Jeszcze minutkę, mleko musi ostygnąć. Widzisz, dałeś radę!".

Zauważycie na pewno, że noworodek poznaje głos mamy (kiedy ma 4 dni), jej zapach (7 dni), jej twarz (10 dni) oraz głos i twarz ojca (2 tygodnie). Każdego dnia maluszek uczy się czekać na karmienie o kilka chwil dłużej, coraz bardziej zafascynowany waszymi twarzami i głosami.

---

[7] Zob. inny poradnik z serii: T. B. Brazelton, J. D. Sparrow, *Uspokajanie dziecka*, przeł. A. Cioch. Sopot: Gdańskie Wydawnictwo Psychologiczne 2014.

Nabiera zaufania do rodziców, może być pewien, że kiedy do niego przemawiacie lub bierzecie go na ręce, zbliża się pora karmienia.

Rozdrażnienie i płaczliwość

Niemowlęta lepiej niż ich rodzice wiedzą, kiedy trzeba je nakarmić i ile powinny zjeść. Zazwyczaj można bezpiecznie polegać na ich żądaniach. Czy można rozpieścić dziecko, biorąc je na ręce i karmiąc za każdym razem, kiedy zapłacze? Raczej nie, ale najpierw zawsze spróbujcie chwilkę z nim porozmawiać. Być może chce się bawić albo się nudzi. Zanim pospieszycie z karmieniem, sprawdźcie, dlaczego grymasi. Na przykład u niemowląt w wieku od 3 do 12 tygodni często wieczorem występuje rozdrażnienie trwające 2–3 godziny i wcale nie płaczą wtedy z głodu (omawiamy to szczegółowo dalej w tym rozdziale).

Wydłużanie przerw między karmieniami

Naturalną reakcją rodziców na rozdrażnienie niemowlęcia jest karmienie. W pierwszych tygodniach życia, kiedy maluszek rośnie w szybkim tempie i potrzebuje częstych posiłków, takie postępowanie jest właściwe. Większość dzieci uspokaja się przy karmieniu, a rodzice mają poczucie, że zrobili, co należy. Wkrótce jednak karmienie staje się nawykową reakcją na każdy płacz. Niedoświadczona mama zaczyna się zastanawiać: „Jak często mogę podawać pokarm, żeby maleństwo się nie przejadało?". Początkowo, mniej więcej przez pierwszy tydzień życia, noworodek wymaga karmienia nawet co godzinę lub dwie, czyli 12 razy na dobę. Po około miesiącu maluszek zwolni tempo, a okresy między karmieniami się wydłużą.

Przez ten czas stopniowo rośnie ilość pokarmu matki lub mieszanki, jaką dziecko może wypić podczas jednego karmienia, dzięki czemu dłużej jest syte. W tym okresie bacznie obserwujcie, czy i w jaki sposób dziecko potrafi się już samo uspokoić, kiedy jest rozdrażnione, a nie głodne.

Około 12 tygodnia życia maluszek nauczy się korzystać z kciuka lub smoczka do ssania i potrącać zabawki zawieszone bezpiecznie nad łóżeczkiem, a w 16 tygodniu zacznie sięgać po zabawki leżące w jego zasięgu. Te nowe fascynujące zajęcia wspomagają stopniowe zmniejszanie częstotliwości karmień. Z biegiem czasu niemowlę nauczy się rozpoznawać uczucie głodu i zacznie dobitnie obwieszczać, że pora na posiłek. Wówczas karmienie będzie lepiej odpowiadać na jego rosnącą świadomość cyklu głodu. W miarę jak dziecko zbiera te doświadczenia zarówno ono, jak i jego rodzice zaczynają dostrzegać, że decyzja, kiedy i ile ma jeść, w gruncie rzeczy należy do niego.

3 tygodnie

Około trzeciego tygodnia życia pory karmienia stają się bardziej przewidywalne i coraz przyjemniejsze. Cała rodzina już wie, o co chodzi w karmieniu piersią. Jednak kiedy maluszek kończy trzy tygodnie, rodzice często opadają z sił. Nocne wstawanie do dziecka mocno daje się we znaki, narasta chroniczne zmęczenie. Do mamy i taty dociera świadomość, że rodzicielstwo to odpowiedzialność na całe życie. Mają poczucie, że „całe życie" to bardzo, bardzo długo, zważywszy na obecne wyczerpanie i brak wyraźnych oznak, że dziecko kiedyś prześpi całą noc bez krzyczenia o jedzenie. Sytuację utrudnia jeszcze to, że niemowlę co wieczór zaczyna rozpaczliwie marudzić, przez co pielęgnowanie go zaczyna się jawić jako bardzo niewdzięczne zajęcie. Przygnębionych rodziców pocieszyć może jednak świadomość, że już i tak wiele się nauczyli i wiele osiągnęli, przestawiając się na nowy tryb życia.

Rola ojca

Piersi karmiącej matki po około trzech tygodniach regularnie wytwarzają dostateczną ilość mleka. Teraz wprowadzenie butelki nie zakłóci laktacji, dzięki czemu ojciec może włączyć się do karmienia niemowlęcia. Może on zacząć na przykład od podawania butelki nocą, by mama mogła trochę dłużej pospać. Mężczyzna i jego nowo narodzony potomek będą wówczas sam na sam, co pozwoli im zbliżyć się do siebie. Tata odkryje cudowne uczucie rodzące się, kiedy przytula maleństwo i patrzy mu w oczy, kiedy czuje, jak małe ciałko porusza się rytmicznie podczas ssania, a potem odpręża i zapada w sen. Może też przenieść kwilące maleństwo z łóżeczka do karmiącej piersią mamy, dając jej czas na ułożenie się w najwygodniejszej pozycji.

Mimo że tata chętnie spieszy z pomocą, mama z pewnością poczuje ukłucie zazdrości. Być może wcale nie uświadamia sobie, że widzi w ojcu dziecka rywala, kiedy go strofuje: „Jak ty go trzymasz? Tak mu będzie niewygodnie!", „Ona musi częściej odbijać. Dajesz jej za dużo mleka za jednym razem!". Nazywam takie zachowania trzymaniem straży. Ujawniają się one od czasu do czasu i są naturalnym odruchem w sytuacji, kiedy dzielimy się z kimś opieką nad dzieckiem – są reakcją, której należy oczekiwać.

Wszystkie osoby, które zajmują się jednym niemowlęciem, niezawodnie ulegną chęci współzawodnictwa. Każde z rodziców musi teraz wypracować własne metody. Często jedno z nich, najczęściej mama, w poczuciu wyższości zakłada, że lepiej zna się na dziecku, bo jako pierwsza karmicielka przeszła już trudny okres nauki. Tymczasem każde z rodziców musi na własną rękę przejść fazę prób i błędów, żeby dojść do wprawy przy dziecku. Byłoby dobrze, gdybyście porozmawiali o swoich odczuciach. Jeżeli coś idzie choć trochę nie tak, wszyscy się denerwują. Czujecie ulgę, mogąc wskazać winnego: „Gdybyś to zrobił tak, jak ci mówiłam, nic by się nie stało". Pamiętajcie jednak, że każdy ma swoją wrażliwość. Stale krytykowany drugi rodzic czy osoba z bliskiej rodziny w końcu przestanie pomagać, a może nawet odsunie się od dziecka. Natomiast jeśli rodzice umiejętnie wspierają się nawzajem, dziecko tylko skorzysta na tym, że z obojgiem nawiąże specjalną, niepowtarzalną więź.

Wizyty kontrolne

Lekarz dziecka lub pielęgniarka środowiskowa powinni w drugim lub trzecim tygodniu życia sprawdzić, czy jest właściwie karmione i prawidłowo się rozwija, czy nie jest odwodnione lub nie ma żółtaczki oraz czy matka nie powinna odstawić leków przyjmowanych w czasie ciąży. Lekarz jednocześnie sprawdzi, czy u kobiety nie wystąpiła depresja poporodowa.

Przygotowanie do ustalenia rozkładu dnia

Kiedy niemowlę zacznie ustalać sobie własny rytm snu i czuwania, jego zachowanie stanie się bardziej przewidywalne. W pierwszych tygodniach zawsze zalecam karmienie na żądanie (czyli wtedy, kiedy dziecko jest głodne). Dzięki temu lepiej je poznacie. Starając się skłonić dziecko, żeby odczekało trzy godziny między karmieniami, dajecie mu szansę, by nauczyło się czekać, aż poczuje głód. Taki rytm pomoże mu w uregulowaniu i dostrojeniu cykli karmienia i snu. W ten sposób niemowlę przygotowuje się do stałego rozkładu dnia, który będzie odpowiadał zwyczajom reszty rodziny. To wam wszystkim bardzo ułatwi życie.

Wieczorne rozdrażnienie i płaczliwość

Po pierwszych trudnych tygodniach, akurat w momencie, gdy młodzi rodzice zaczynają sądzić, że życie z maleństwem się stabilizuje, może ich czekać kolejny szok:

trzytygodniowe niemowlę robi się nagle płaczliwe i marudne. Wiele dzieci w tym wieku zaczyna regularnie marudzić pod koniec dnia. Domagają się, żeby je brać na ręce, przytulać, kołysać, karmić. Płaczą niepocieszone od godziny do trzech każdego wieczora. Rodzice chwytają się wszelkich możliwych sposobów, żeby uspokoić rozstrojone maleństwo: stawiają leżaczek z maluchem na włączonej pralce, włączają głośno radio lub telewizor, noszą malucha po całym domu lub co chwila karmią. Czasami tak zabawiane dziecko w środku tego zamieszania przestaje płakać i zasypia płytkim snem, żeby odciąć się od zamętu, ale jak tylko zabiegi rodziców ustają, budzi się i znów niepohamowanie płacze. Daremne wysiłki rodziców tylko przedłużają fazę marudzenia.

Stan ten popularnie nazywany jest kolką lub wieczornym rozdrażnieniem. Omawiamy go szerzej w książce *Uspokajanie dziecka*. Według mnie wieczorny rozstrój jest reakcją dziecka na przeciążenie bodźcami. Pod koniec każdego dnia pełnego nowych wyzwań maluch musi „wypuścić parę". Kiedy przestaje marudzić, rodzice często zauważają, że przez następną dobę znacznie lepiej je i śpi. Innymi słowy, niepohamowany płacz ma swój cel – rozładowanie napięcia emocjonalnego po pełnym wrażeń dniu. W wieku 3 miesięcy, kiedy niemowlę zdobędzie nowe umiejętności – takie jak uśmiechanie się, gruchanie, gaworzenie, obserwowanie otoczenia – najprawdopodobniej przestanie marudzić wieczorami, a zamiast tego oka że pełną gotowość do zabawy.

Jak postępować z rozstrojonym maleństwem? Wypróbujcie po kolei wszystkie sposoby, które mogłyby je uspokoić. Sprawdźcie, czy dziecko jest suche, czy nie wykluwa się jakaś choroba, czy coś nie sprawia mu bólu (płacz z bólu ma jednak inny ton – jest przenikliwy i bardziej natarczywy). Jeżeli nic mu nie dolega, a mimo to nadal płacze, trzeba się z tym pogodzić. Pozwólcie mu płakać przez 10–15 minut za jednym razem. Potem weźcie je na ręce, żeby je utulić i ukoić. Dajcie mu do popicia ciepłej wody z butelki, potem potrzymajcie je do odbicia. Jeżeli płacz stanie się bardzo rozpaczliwy, możecie je nadprogramowo nakarmić. Jednak szybko sami się zorientujecie, że dziecko nie jest głodne. Co jakiś czas próbujcie położyć je do łóżeczka. Kiedy rozstrój minie, przytulcie maleństwo, żeby wiedziało, że się z tego cieszycie i że chcieliście mu pomóc.

Ulewanie

W tym samym okresie życia może się nasilić ulewanie pokarmu po karmieniu. Jeżeli układanie dziecka pod kątem 30 stopni, odbijanie i unikanie gwałtownych ruchów nie przynoszą efektów, zasięgnijcie porady pediatry. Lekarz sprawdzi, czy maluszek nie jest odwodniony i czy jego waga jest prawidłowa. Pokarm naturalny jest rzadziej zwracany niż modyfikowane mleko krowie. Jeżeli jednak zauważycie, że dziecko nie tyle ulewa, ile raczej gwałtownie wymiotuje, tak że treść żołądkowa chlusta mu z buzi na dużą odległość, niezwłocznie zabierzcie je do lekarza. Takie ulewanie może mieć rozmaite przyczyny. Większości z nich można szybko zaradzić, ale wymaga to natychmiastowej interwencji. Jednym z rzadkich zaburzeń jest przerostowe zwężenie odźwiernika (zob. rozdział 3).

Wypróżnienia

Jeśli chodzi o wypróżnienia, to zauważycie kilka zmian. Początkowa czarna, kleista smółka przechodzi w stolce luźniejsze i zielonkawe, potem brązowawe. Kupki dzieci karmionych piersią nie mają nieprzyjemnego zapachu, w odróżnieniu od stolców dzieci karmionych mieszanką. Jeżeli maluch ma apetyt i prawidłowo przybiera na wadze, nie musicie się martwić częstymi stolcami. Przy karmieniu mieszanką prawdopodobnie będzie się wypróżniał przynajmniej raz dziennie, nieraz nawet do pięciu czy sześciu razy. Po mniej więcej trzech tygodniach na pokarmie matki niemowlę może zacząć wypróżniać się rzadziej, czasami tylko raz na kilka dni, a nawet raz na tydzień. Oczekiwanie na wypróżnienie początkowo stresuje rodziców, ale kiedy już kupka się pojawi, po gęstej, papkowatej konsystencji poznacie, że wszystko jest w porządku.

2 miesiące

Wieczorne marudzenie, które teraz może osiągnąć apogeum, wynagradzają rodzicom nowe umiejętności maluszka, którymi podbija ich serca. W wieku dwóch miesięcy niemowlę zaczyna się uśmiechać i wokalizować (charakterystyczne gruchanie). Tym niezaprzeczalnym atutom nie oprą się ani rodzice, ani pozostali opiekunowie. Kiedy maluch chce się uśmiechnąć, pracuje całym ciałem. Pręży nóżki, rączkami macha nad główką, cała twarz się rozjaśnia, czoło zaś marszczy. Jego policzki się unoszą, skóra na buzi czerwienieje i wreszcie pojawia się uśmiech! Wraz z nim daje się słyszeć gruchanie. Rodzice, niemal w ekstazie, włączają się do zabawy, łaskoczą malca w brzuszek i policzki. Zrobią niemal wszystko, byle tylko wywołać kolejny uśmiech dziecka i znowu usłyszeć, jak grucha.

Tymczasem inne nowe umiejętności mogą zostać niezauważone. Na przykład to, że dziecko uspokaja się i nasłuchuje, podczas gdy rodzice przygotowują mu butelkę. Kiedy w zasięgu wzroku pojawia się pierś, twarz dziecka poważnieje. Kończyny nieruchomieją całkowicie lub – przeciwnie – wprawiają się w ruch. Buzia otwiera się w oczekiwaniu na pokarm. Dziecko karmione piersią zwraca się twarzą i ustami ku matce. Kiedy mama jest blisko, a ono wyczuwa jej zapach, może odmawiać butelki i wszystkich innych zamienników.

Niemowlę wie, skąd bierze się mleko dla niego, i przygotowuje się na posiłek. Przywiera całym ciałem do mamy, ramionami i dłońmi obejmuje pierś, a kiedy mama ją obnaża, uchyla usta. Wyraźnie widać, że przechowuje w pamięci wspomnienia licznych karmień, których do tej pory doświadczyło. Złożyły się one na oczekiwanie – wczesny dowód na to, że pamięć i mózg rozwijają się prawidłowo.

Mama, tata i obcy

Na tym etapie rozwoju można dokonać jeszcze ciekawszego spostrzeżenia. Maluszek odróżnia już mamę i tatę od innych dorosłych. Po ruchach całego ciała – nóg, paluszków u rąk i stóp, mimice twarzy – widać, że na każdą z tych osób reaguje inaczej. Niemowlę już wie, czego może spodziewać się z ich strony. Gromadzi tę wiedzę dzięki powtarzającym się doświadczeniom. Za każdym razem, kiedy w polu widzenia pojawia się na przykład mama, maluch przeczuwa jej zachowanie.

W eksperymentach, które skrupulatnie filmowaliśmy, umieszczaliśmy dwumiesięczne niemowlę w leżaczku. Następnie prosiliśmy mamę, żeby weszła do pomieszczenia i pobawiła się z dzieckiem, zawsze w ten sam sposób. Matka spokojnie pochylała się nad leżaczkiem dziecka. Swoim głosem, twarzą i ramionami tworzyła wokół niego coś w rodzaju namiotu. Potem ujmowała dziecko pod pośladki, przytrzymując nóżki, żeby nie podskakiwały. Łagodnie przemawiała do maluszka. Ten odpowiadał gruchaniem, a mama uśmiechała się radośnie. Cicho naśladowała jego „mowę", podrzucając dziecko na ramieniu, żeby je zabawić. Wszystko powtarzała trzy lub cztery razy, dopóki dziecko się nie znudziło.

W trakcie tej zabawy dwumiesięczne niemowlę wyciągało rączki, otwierało dłonie i rozpościerało palce stóp, potem znowu je zwijało. Jego buzia łagodniała i się rozjaśniała. To przytulało się do mamy, to lekko od niej odsuwało. Takie przewidywalne zachowanie oznajmia matce: „Znam cię i wiem, czego się po tobie spodziewać!".

Ponieważ ojcowie zachowują się zupełnie inaczej niż matki, po ruchach wszystkich części ciała malucha można łatwo poznać, że tata pojawił się w polu widzenia albo zawołał z drugiego końca pokoju. Kiedy tata podchodzi, żeby pobawić się z maluchem, dziecko reaguje niezwykłym ożywieniem. Oczy, brwi, policzki, usta, ręce, palce u rąk, nóżki i palce u stóp podrygują w oczekiwaniu świetnej zabawy. Mówimy czasem, że twarz dziecka ożywa, wysyłając czytelny sygnał: „Pobaw się ze mną". I tata zaczyna zabawę. Lekko szturcha malucha od paluszków nóg po głowę, to tu, to tam. Dziecko w tym czasie chichocze, fika nóżkami, a na jego buzi zakwita radość; ta reakcja na pojawienie się ojca również jest przewidywalna i oznajmia: „Wiem, co zaraz zrobisz!".

Mając w perspektywie radosną zabawę, maluch obojętnieje na jedzenie. Tata, który chce podjąć się karmienia, powinien uprzednio poświęcić kilka chwil na zabawę. Dopiero gdy dziecko zacznie tracić entuzjazm i odwracać głowę od wzroku taty, ten może je przytulić, łagodnie ukołysać, zanucić coś i w końcu podać butelkę. Wtedy nawet maluch karmiony konsekwentnie piersią nie odmówi jej przyjęcia.

Nowe osiągnięcia, nowy rozkład dnia

Od kontroli u lekarza trzytygodniowe dziecko powinno przybrać jeszcze około kilograma. Pory karmienia są już bardziej przewidywalne. Czas snu nocnego się wydłuża. Być może maluch potrafi już krótko zaczekać, zanim przyjdziecie, żeby go ukoić, kiedy płacze z głodu. Idąc do dziecka, zatrzymajcie się, zanim was zobaczy, i zawołajcie do niego, by sprawdzić, czy jest w stanie zaufać, że zaraz przyjdziecie.

Podczas karmienia maluch wypija już 150–180 ml za jednym razem. Przy piersi potrafi wyssać tę ilość podczas pierwszych 5–10 minut, ale dalsze ssanie uspokaja go, a często sprawia przyjemność także mamie.

Kolka

U wielu dwumiesięcznych niemowląt występuje kulminacja wieczornego rozdrażnienia. Rodzice często zauważają, że ich dziecko potrafi samo się uspokoić – przynajmniej na krótko – po podaniu smoczka do ssania lub, jeszcze lepiej, piersi. Dłuższe ssanie piersi nie grozi przekarmieniem.

Wypróżnienia

Tu niewiele się zmienia. Maluch karmiony mieszanką robi kupkę raz lub dwa razy dziennie – gęstą, w kolorze od żółtego do brązowego. Kiedy się wypróżnia, wierci się, napina i czerwienieje, ale odpręża się, gdy tylko skończy. Jeżeli zauważycie w kale ślady krwi, natychmiast powiedzcie o tym lekarzowi. Drobne pasemka krwi mogą się pojawić, kiedy zbyt twardy stolec naruszy tkankę odbytu. Jeżeli do tego dojdzie, spróbujcie rozluźnić stolce, podając dziecku do picia około 30 ml soku z suszonych śliwek lub 60 ml wody. Pęknięcia skóry wokół odbytu zagoją się szybko, jeśli posmarujecie skaleczone miejsce wazeliną.

U niemowląt karmionych piersią stolce nie zawsze są przewidywalne. Równie dobrze mogą pojawiać się dziesięć razy na dobę lub tylko raz na dziesięć dni. Jeżeli są miękkie i papkowate, a wypróżnienia nie sprawiają dziecku bólu, nie ma powodu do obaw. Sporadycznie w stolcu można zauważyć brązowawą plamkę strawionej krwi, pochodzącej z pękniętej brodawki sutkowej matki. To sygnał, że mama musi zadbać o brodawki, stosując maść z lanoliną. Poradźcie się lekarza, czy do czasu zagojenia powinna unikać karmienia chorą piersią.

Karmienie niemowlęcia w tym wieku z reguły jest przyjemnością. I wy, i dziecko wyczekujecie tego z radością – nie tylko ze względu na posiłek, ale i miłą zabawę.

Pokarmy stałe

Mleko jest podstawą żywienia niemowlęcia w pierwszym roku życia. Mechanizm połykania u tak małych dzieci nie jest jeszcze na tyle dobrze wykształcony, żeby maluszek przed czwartym czy piątym miesiącem życia poradził sobie z przyjmowaniem pokarmów stałych. Podane niemowlęciu przedwcześnie najprawdopodobniej przejdą przez układ pokarmowy niestrawione – dla niedojrzałych jelit mogą być dużym obciążeniem. Istnieją też dowody na to, że podawanie niektórych produktów stałych tak małym dzieciom może doprowadzić w przyszłości do wystąpienia alergii.

4 miesiące

Pory karmienia są coraz bardziej przewidywalne. Prawie wszystkie niemowlęta w tym wieku mają już uregulowany rozkład karmień, które wypadają co 3–4 godziny. Można przewidzieć, ile czasu zajmie każdy posiłek. Karmienie butelką w przypadku większości maluchów trwa od 10 do 15 minut, plus chwila na odbicie połkniętego powietrza. Karmienie piersią zabiera około 20 minut, czasami więcej, jeśli doliczyć odbijanie. Łagodne przemawianie do dziecka i spokojna zabawa, tak miłe dla obu stron, trochę wydłużają czas posilania się. Niemowlę przyjmuje połowę potrzebnego pokarmu w ciągu pierwszych dwóch minut, a 80–90% w ciągu czterech minut karmienia. Jeżeli zaraz potem zasypia, to prawdopodobnie się najadło. O ile jednak ma ochotę ssać dłużej, a matka też sobie tego życzy, jest to wspaniała okazja do serdecznej bliskości. Z pewnością nie grozi to przekarmieniem.

Zawsze uważałem, że karmienie przebiega płynniej, sprawniej i spokojniej, jeżeli rodzice, zanim przystąpią do podawania mleka, poświęcą kilka minut na rozmowy, przytulanie i pobudzenie maluszka lub na uspokojenie go, jeżeli jest rozdrażniony.

Na tym etapie rodzice najprawdopodobniej dobrze rozróżniają rodzaje płaczu swojego dziecka. Faza nasilonej wieczornej płaczliwości powinna już minąć. Jej miejsce zajmuje teraz okres radosnego ożywienia, pełen uśmiechów i interakcji z opiekunami. Rodzice nabrali już wprawy w pielęgnowaniu niemowlęcia, czują się znacznie pewniej i wiedzą, czego oczekiwać po różnych odcieniach płaczu. Krzyku sygnalizującego głód nie sposób pomylić z innym – zarówno wy, jak i wasze dziecko dobrze go znacie.

W tym okresie rodziców frapują coraz to nowe pytania.

Typowe pytania rodziców

■ Czy rozpieścimy malucha, jeżeli będziemy go karmić, kiedy tylko zapłacze?

Uważam, że tak małego niemowlęcia nie da się rozpieścić. Musicie jednak być pewni, że właściwie rozpoznajecie jego sygnały, kiedy sygnalizuje wam inne swoje potrzeby. Płaczem i krzykiem może oznajmiać rozmaite rzeczy, nie tylko głód. Jest wiele przyczyn płaczu i krzyku – znudzenie, chęć zabawy, zmęczenie lub potrzeba ułożenia się do snu. Każdą ze wspomnianych potrzeb, a także pozostałe, niemowlę wyraża innym tonem płaczu. Wsłuchujcie się uważnie, dzięki temu będziecie mieli znacznie lepszy kontakt z dzieckiem.

■ Wydaje mi się, że za często domaga się jedzenia. Co mogę zrobić, żeby go powstrzymać?

Na tym etapie powinniście wziąć pod uwagę, że dziecko pracuje nad rozwijaniem nowych sprawności. Jeżeli musicie zaglądać do niego częściej niż co trzy godziny, spróbujcie pobawić się z nim przez chwilę, zamiast od razu je karmić. Prawdopodobnie niemowlę umie już przez jakiś czas zająć się sobą. Powieście nad łóżeczkiem kilka kolorowych przedmiotów (na przykład plastikowe łyżeczki), żeby maluszek mógł obserwować, jak mienią się w świetle. Musicie je jednak usunąć, kiedy dziecko nauczy się sięgać do nich rączką i chwytać, a także solidnie je przymocować, żeby ani niemowlę, ani jego starsze rodzeństwo nie zdołało ich urwać. Ułóżcie dziecko pod kątem 30 stopni, żeby mogło wygodnie patrzeć na zabawki, potrącać je i słuchać wydawanych przez nie dźwięków. Zdziwicie się, jak bardzo będzie zaintrygowane, mogąc obserwować wiszące zabawki i grzechotki, nasłuchiwać wydawanych przez nie dźwięków i sięgać po nie.

Niemowlę w tym wieku odkrywa, że potrafi bawić się samo, radzić sobie z nudą i cieszyć się porą czuwania między karmieniami. Z całą pewnością będzie to dla was sporym odciążeniem, pomyślcie też, co to znaczy dla dziecka, kiedy zda sobie sprawę, że umie już zadbać o niektóre swoje potrzeby. I rodzice, i dziecko z radością przyjmują fakt, że przerwy między karmieniami wydłużyły się do całych czterech godzin. Pracowały na to obie strony!

■ Dlaczego ciągle budzi się w nocy na karmienie co cztery godziny?
Czterogodzinny cykl snu nocnego jest naturalny i normalny. Właściwie możecie nawet mówić o szczęściu. Doceńcie to, że maluch śpi nieprzerwanie przez cztery godziny, zamiast budzić się częściej lub czuwać w nocy i spać w dzień. Tak czy inaczej, jest to właściwy czas, żeby zacząć starania o wydłużenie snu nocnego. W miarę dojrzewania układu nerwowego niemowlę będzie coraz bardziej skłonne do spania w nocy dłużej. Dalsze kołysanie dziecka na rękach i upieranie się przy karmieniu co kilka godzin może doprowadzić do kłopotów ze snem. Karmienie co cztery godziny nocą może już nie być najlepszym rozwiązaniem. Znacznie ważniejsze teraz są starania o to, żeby maluch nauczył się samodzielnie zasypiać.

Odkryłem, że kiedy niemowlę zaczyna się uczyć samodzielnego zasypiania, przełom może nastąpić, jeżeli przerwiemy jego czterogodzinny cykl snu. Obudźcie dziecko około dwudziestej drugiej czy dwudziestej trzeciej. Podajcie mu dodatkowy posiłek bez pobudzającej zabawy. Po jedzeniu połóżcie je do łóżeczka, jeszcze zanim zaśnie, i pozwólcie mu samodzielnie zapaść w sen. Dodatkowe karmienie przerwie ustalony czterogodzinny schemat i najprawdopodobniej pomoże maleństwu samodzielnie zasnąć, a potem spać dłużej w nocy. Sposób ten wielu moim małym pacjentom ułatwił drogę do ośmiogodzinnego snu nocnego. Karmienia sprzyjają zaśnięciu, ale to nie one przyczyniają się do prawdziwego sukcesu w nauce spania samemu[8].

Pokarmy stałe

Niektórzy rodzice sądzą, że wprowadzenie pokarmów stałych przyczyni się do wydłużenia czasu snu czteromiesięcznego niemowlęcia. Jeżeli jesteście o tym przekonani, zacznijcie od podawania kaszki z tylko jednego gatunku zboża. Wielu pediatrów zaleca na początek kaszki ryżowe. Na pszenicę jest jeszcze za wcześnie. Nie stosujcie też kaszek ze zbóż mieszanych, ponieważ dziecko może mieć alergię na któreś z nich i w razie wystąpienia objawów nie będziecie mogli sprawdzić, które dokładnie je spowodowało.

Ze względu na możliwość wywołania alergii każdy nowy rodzaj pokarmu należy wprowadzać ostrożnie. Po włączeniu do jadłospisu dziecka nowego produktu odczekajcie

8   Zob. T. B. Brazelton, J. D. Sparrow, *Sen dziecka. Jak zapomnieć o nieprzespanych nocach*, przeł. A. Cioch, Sopot: Gdańskie Wydawnictwo Psychologiczne 2014.

co najmniej tydzień i obserwujcie niemowlę pod kątem objawów alergii. Rozstrój żołądka lub wysypka na twarzy będą sygnałem, że dany produkt należy wykluczyć. Jeżeli dziecko jest uczulone, wystąpi suchy, łuszczący się wyprysk (zwany też egzemą) lub pojawią się inne objawy.

Gotowe kaszki dla niemowląt powinny być wzbogacone żelazem, ponieważ większość dzieci w wieku 4–6 miesięcy ma zwiększone zapotrzebowanie na ten pierwiastek. Dotąd niemowlę korzystało z zasobów żelaza otrzymanych od matki jeszcze przed urodzeniem.

Jeżeli w rodzinie wcześniej występowały alergie pokarmowe i wyprysk (egzema), wasze dziecko także jest na nie bardziej narażone. W takim wypadku wstrzymajcie się z wprowadzaniem pokarmów stałych do czasu, gdy maluszek skończy 6 miesięcy. Jeżeli uważacie, że powinniście wprowadzić do diety dziecka ograniczenia ze względu na skłonność genetyczną, poradźcie się lekarza, czy otrzyma ono wówczas wszystkie niezbędne składniki odżywcze. Lekarz może was także skierować do dietetyka (zob. rozdział 3).

Wprowadzenie pokarmów stałych (najlepiej przed wieczornym karmieniem mlekiem) stawia rodziców przed nowymi wyzwaniami.

Typowe pytania rodziców

■ Czy maluch umie przełykać?
Dziecko musi nauczyć się przełykać. Dotychczas ssało pokarm. Przełykanie wiąże się z używaniem mięśni pod-

stawy języka i gardła. Początkowo niemowlę może reagować na pokarm stały odruchem wymiotnym, a nawet się zakrztusić. Nie spieszcie się, dajcie maleństwu czas na nabranie wprawy. Na pierwszy raz wystarczy niewielka ilość bardzo płynnej kaszki. Niech dziecko wyssie ją z małej łyżeczki. Jeżeli jest już gotowe na pokarmy stałe, po trzech czy czterech dniach doskonale sobie poradzi. U niektórych dzieci skoordynowanie pracy mięśni języka i gardła może potrwać nieco dłużej. Część maluchów ma niezwykle silny odruch wymiotny, odkrztusza i wyrzuca z siebie każdy stały pokarm, jaki dostanie się do tylnej części gardła.

■ Jaką ilość pokarmów stałych podawać?
Przez kolejnych kilka miesięcy zaleca się jedną lub dwie łyżki stołowe zmieszane z odżywką mleczną lub pokarmem matki.

■ Czy dziecku będzie smakowało?
Na początku prawdopodobnie nie. Niemowlęta zwykle krzywią się na każde nowe jedzenie. Trzymają je w buzi, po czym powolutku wypluwają. Uzbrójcie się w cierpliwość i proponujcie nową potrawę aż do skutku. Dobrze jest podejmować taką próbę przy każdym kolejnym karmieniu. Wiele niemowląt i małych dzieci trzeba długo przyzwyczajać do nowych smaków czy konsystencji, zanim odważą się przełknąć. Po 5–15 próbach oswoją się i w końcu zaakceptują nowe jedzenie, o ile będziecie je wielokrotnie podawać w ostrożny sposób. Nigdy jednak niczego w dziecko nie wmuszajcie. Po prostu kilka razy zaproponujcie jedną łyżeczkę. Jeżeli niemowlę się opiera, uszanujcie jego sygnały i spróbujcie ponownie

przy następnym posiłku. Nie byłoby dobrze, gdyby na zawsze skojarzyło sobie nowy smak czy konsystencję z przymusem ze strony rodziców. Wówczas może na dobre zniechęcić się do jedzenia.

- Czy podawać maluchowi łyżeczkę?
Czteromiesięczne niemowlę próbuje już chwytać łyżeczkę. Kiedy mu się to uda, pozwólcie mu ją potrzymać i nią pomanipulować. Wy możecie wtedy wziąć następną. Jeżeli i tę maluch zabierze, niech sobie macha dwiema łyżeczkami. Wy sięgnijcie po trzecią i cierpliwie go karmcie!

- Czy stałe pokarmy można wprowadzić później?
Oczywiście. Nie wszystkie niemowlęta są na to gotowe, gdy kończą 4 miesiące. Poczekajcie, aż dziecko będzie wydawać się głodne w nocy. Tylko nie zwlekajcie zbyt długo. Większość niemowląt potrzebuje sposobności do eksperymentowania z rozmaitymi konsystencjami około szóstego miesiąca życia, żeby potem sprawnie sobie z nimi radzić.

- Co robić, jeżeli dziecko po spróbowaniu stałego pokarmu nie chce już pić mleka?
Odwróćcie kolejność karmienia. Mleko jest nadal najważniejszym, podstawowym pokarmem, podawajcie je więc jako pierwsze. Pokarm stały możecie podsunąć po piersi czy butelce, gdyż w tym wieku nie ma on jeszcze większego znaczenia dla prawidłowego odżywiania.

- Czy należy wykluczyć pokarmy stałe, jeżeli na twarzy dziecka pojawi się szorstka, łuszcząca się wysypka?
Nie wszystkie. Jeżeli za każdym razem przy wprowadzaniu nowego pokarmu obserwowaliście dziecko przez

co najmniej tydzień, wyeliminujcie tylko ten ostatni i potem już go nie podawajcie. Przy jadłospisie tak ograniczonym, jaki ma dziecko w tym wieku, możecie wypróbować każdy pokarm pod kątem alergii. Wiedza o tym, które pokarmy uczulają malucha, bardzo się przyda w przyszłości.

- Kiedy wprowadzać następny stały pokarm?
  Po dwóch tygodniach podawania pierwszej kaszki przy wieczornym posiłku możecie wprowadzać następny pokarm stały. Podając jedzenie, podeprzyjcie dziecko na leżaczku lub poduszce. Początkowo maluch może wypychać pokarm językiem. Jedna lub dwie łyżki stołowe przy każdym posiłku wystarczą. Podczas karmienia dziecko będzie was ciągle zaczepiało. Będzie dotykało waszych twarzy, fikało nóżkami i pocierało stópki. Kiedy skończy albo znudzi się jedzeniem, najpewniej zacznie energicznie kręcić główką.

Zapobieganie alergiom przy podawaniu pokarmów stałych

1. Wprowadzajcie tylko jeden rodzaj pokarmu naraz. Dzięki temu sprawdzicie, czy dziecko dobrze go toleruje. Jeżeli wcześnie odkryjecie, które pokarmy uczulają dziecko, to wykluczając je, uchronicie malucha przed wypryskiem i innymi reakcjami alergicznymi.
2. Jeden rodzaj pokarmu stałego podawajcie przez tydzień.

3. Dokładnie czytajcie etykiety na słoiczkach i puszkach przeznaczonych dla niemowląt – pokarm musi zawierać tylko jeden składnik. Jedzenie zawierające więcej niż jeden składnik wprowadzicie do jadłospisu dziecka później.
4. Nie używajcie kaszek ze zbóż mieszanych, bo w składzie mogą być zboża, których jeszcze nie należy podawać dziecku.
5. Nie wprowadzajcie pokarmów stałych, zanim dziecko nie ukończy 4 miesięcy.

Chęć do zabawy, niechęć do jedzenia

Zbliża się kolejny skok rozwojowy w sferze karmienia. Między czwartym a piątym miesiącem życia niemowlę nie potrafi skupić się ani na piersi, ani na butelce. Podnosi główkę i kręci nią na boki, żeby chłonąć nowe obrazy i dźwięki. Nie sposób utrzymać jego zainteresowania jedzeniem, o ile nie karmicie go w zaciemnionym i wyciszonym pomieszczeniu. W tym wieku bowiem umysł dziecka otwiera się szeroko na bodźce wzrokowe i słuchowe. Niemowlę szybko sobie uświadamia, jak ciekawy jest otaczający je świat. Chce go śledzić, obserwować, wsłuchiwać się weń, chłonąć każdy sygnał z zewnątrz. Maluch potrafi już skupiać wzrok na odległych przedmiotach, co pozwala mu przyglądać się nie tylko waszym twarzom, ale i zabawkom leżącym na podłodze w drugim końcu pokoju. Teraz jedzenie wydaje się takie nieistotne!

Co z tym zrobić? Cierpliwości. Musicie przede wszystkim zrozumieć przyczynę tego nowego skoku rozwojowego. Skoro dziecko tak bardzo się rozprasza fascynującymi zjawiskami wokół niego, spróbujcie karmić je w cichym, spokojnym, zaciemnionym pomieszczeniu. Najprawdopodobniej po kilku minutach przerwie picie i zacznie się rozglądać. Cztery karmienia w ciągu dnia z pewnością mu jednak wystarczą. Z piersi niemowlę wypije 90–120 ml w ciągu pierwszych 5 minut. Ten wypełniony trudnościami okres potrwa około tygodnia. Rodzice mogą się poczuć odrzuceni albo dojść do wniosku, że coś jest nie w porządku. Często przyczyn tych kłopotów upatruje się w ząbkowaniu. Wyrzynające się ząbki mogą mieć pewien wpływ na zachowanie dziecka, ale jest o wiele bardziej prawdopodobne, że maluszek po prostu szybko posuwa się naprzód w rozwoju poznawczym. Cieszcie się z tego!

Ząbkowanie

Ząbkowanie może utrudniać karmienie. W przypadku niemowląt starszych niż 4 miesiące o wszystkie problemy obwinia się właśnie ząbkowanie. Każdą odmowę jedzenia rodzice tłumaczą tym, że dziecku pewnie idą pierwsze ząbki. To możliwe, o ile zauważycie, że maluch ma opuchnięte dziąsła na przedniej części żuchwy. Nowy ząbek jest jak drzazga – obce ciało, które powoduje obrzęk. Kiedy niemowlę ssie, do i tak już opuchniętych dziąseł napływa więcej krwi i zaczynają one boleć.

Jeżeli dziecko nieustannie ssie palce i marudzi podczas przystawiania do piersi, to najprawdopodobniej ząbkuje.

Czasami ząbkujące dzieci pocierają sobie uszy, jakby to one bolały. Wtedy łatwo przez pomyłkę uznać płacz i drapanie za objaw bólu ucha. Nerwy zębów przechodzą w okolicy uszu, dlatego drapanie tych miejsc przynosi dziecku ulgę.

Jeżeli chcecie pomóc maleństwu, czystym palcem potrzyjcie żuchwę w jego buzi, nieco powyżej miejsca, gdzie dziąsło styka się z wargą. Dzięki temu opuchlizna trochę się zmniejszy. Początkowo dzieciom to się nie podoba, ale w końcu się uspokajają i są zadowolone. W ten sposób możecie złagodzić ból wywołany wyrzynaniem się ząbków. Po jakimś czasie dziecko będzie wyczekująco patrzeć na wasze palce i samo zacznie pocierać sobie dziąsła, ssąc własne paluszki.

Wiek, w którym wyrzynają się zęby, zwykle jest dziedziczny. U moich dzieci pierwsze ząbki pojawiły się dopiero pod koniec pierwszego roku życia. Jak ja się martwiłem! „Co z tymi ząbkami? Czy w ogóle kiedyś wyrosną?" – zastanawiałem się i niepotrzebnie rwałem włosy z głowy. Moja mama wyjaśniła mi w końcu: „Berry, tobie pierwsze zęby zaczęły rosnąć dopiero, jak skończyłeś rok. Wyrosły wszystkie naraz. Ale dzięki temu były mocniejsze".

Babcie, dziadkowie i inni opiekunowie

Już u czteromiesięcznego niemowlęcia można zaobserwować najwcześniejsze oznaki świadomości obcej osoby. Dziecko dostrzega różnice między swoimi rodzicami i wie, czego się może spodziewać po jednym i drugim. Przechowuje te informacje w pamięci i w obecności każdego z rodziców gotowe jest zachowywać się inaczej, a jeszcze inaczej przy osobach z zewnątrz. Wprawdzie ta nowa cecha dopiero zaczyna się ujawniać, ale dziadkowie i babcie mogą się teraz spodziewać, że maluch przyjrzy im się bacznie, zanim się odpręży i przystąpi do zabawy. Nianie i opiekunki próbujące karmić niemowlę prawdopodobnie też będą musiały uwzględnić fakt, że dziecko rozumie, iż są obce, i doskonale rozpoznaje najważniejsze dla niego osoby.

Babciom, dziadkom, nianiom i wszystkim osobom, które zamierzają karmić dziecko, proponowałbym, żeby wcześniej pozwoliły mu się ze sobą oswoić. Bawcie się z niemowlęciem spokojnie, nie zaglądając mu w oczy. Weźcie je delikatnie na ręce, nic nie mówiąc. Nawet wtedy nie patrzcie dziecku w twarz. Nie zaczynajcie od zbyt ożywionej zabawy, nie próbujcie rozśmieszać malca ani zachęcać go do gaworzenia. Po prostu usiądźcie i go pokołyszcie. Dopasujcie się do jego tempa. Kiedy dziecko się przyzwyczai, poczujecie, że jego ciało jest mniej napięte. Dopiero wtedy możecie mu coś zaśpiewać i łagodnie do niego przemówić. Kiedy maluch zaczyna się rozglądać, szukając źródła pokarmu, możecie podać mu butelkę. Jeżeli od razu zacznie ssać, to macie szczęście. Zachowajcie spokój i nie przeciążajcie malucha niepotrzebnymi bodźcami. Kiedy dziecko zacznie przerywać jedzenie, żeby się porozglądać, wykorzystujcie każdą taką pauzę na kontakt z nim. Spoglądajcie nań spokojnie i cicho coś zanućcie. Potrąćcie je lekko, żeby nie zasnęło. Niech porozumiewa się z wami i dokończy jedzenie.

Pamiętajcie jednak, że maluszek cały czas postrzega was jako obcych i najprawdopodobniej nieufnie zareaguje na wszystko, co was odróżnia od rodziców, którzy karmią go na co dzień – na inny zapach, głos, dotyk, tempo ruchów. Przerywając jedzenie, dziecko ciągle się czegoś uczy – w tym przypadku zapoznaje się z obcą sobie osobą. Jednak wasze odmienne zachowanie prawdopodobnie będzie mu boleśnie przypominać o nieobecnych rodzicach. Jeżeli mimo to zechce was zaakceptować, będzie to naprawdę ogromny sukces.

6 miesięcy

Karmienie daje teraz ogromną satysfakcję lub przynosi rozczarowanie. To zależy, jak do tego podchodzicie. Cztero- i pięciomiesięczne niemowlęta zwykle odrywają się od piersi czy butelki na krótko, żeby się porozglądać. Sześciomiesięczne niemowlę jest zaabsorbowane nie tylko ciekawym otoczeniem, ale również swoją zdolnością do interakcji z nim. Już wie, że jeżeli przerwie ssanie, żeby spojrzeć na mamę, może przyciągnąć jej uwagę również gaworzeniem. Co chwila przerywa jedzenie, przez co karmienie trwa coraz dłużej.

Pokarmy stałe

W tym wieku niektóre niemowlęta zaczynają się interesować pokarmem stałym i zniechęcają do mleka. Jeśli to zauważycie, rozpoczynajcie karmienie od podania mleka, a pokarm stały zaproponujcie później. Dla szybko rozwijającego się dziecka mleko jest wciąż ważniejsze niż pokarmy stałe, chociaż sześciomiesięczny maluch może już potrzebować więcej żelaza. Jednym ze źródeł tego pierwiastka mogą być kaszki wzbogacone żelazem. Kolejnym będzie przecierane mięso. Skonsultujcie się z pediatrą, żeby się upewnić, czy wasze dziecko na tym niezwykle ważnym etapie rozwoju dostaje w pożywieniu dostateczną ilość żelaza.

Do karmienia produktami stałymi dziecko musi siedzieć odchylone pod kątem 30–40 stopni. Większe odchylenie może sprawić, że maluch się zakrztusi. Jeśli z kolei będzie siedział bardziej wyprostowany, może opadać do przodu. Ważnym zadaniem rodziców jest dopilnowanie, żeby pierwsze doświadczenia malucha z nowym smakiem i konsystencją jedzenia nie budziły w nim strachu.

Zapobieganie alergiom pokarmowym

Załóżmy, że żaden z nowych produktów, które już wprowadziliście, nie wywołał u dziecka wysypki ani zaburzeń żołądka. Rozsądek nakazuje jednak nadal wprowadzać kolejne pokarmy pojedynczo, tak żeby móc zidentyfikować konkretny produkt odpowiedzialny za ewentualną reakcję alergiczną. W swojej pracy spotykałem się co jakiś czas z sytuacją, gdy dodanie nowych produktów stałych do jadłospisu dziecka uaktywniało łagodną alergię na mleko krowie. Mleko w połączeniu z pokarmami stałymi może zadziałać jak wieża stawiana z klocków. U niektórych niemowląt samo nie zawsze wywołuje uczuleniową reakcję skórną w postaci szorstkiego wyprysku.

Wystarczy jednak dodać do jadłospisu jakiś łagodnie aler-
gizujący pokarm stały i wieża w jednej chwili się wali –
maluch dostaje wysypki.

Jest to kolejny bardzo ważny moment, kiedy musicie
się upewnić, jakie substancje dziecko przyjmuje w pożywieniu, i sprawdzić, które konkretnie składniki wywoła-
ły reakcję alergiczną, jeszcze zanim posiłki i środowisko
życia dziecka staną się bardziej złożone. Poproście lekarza lub pielęgniarkę o listę pokarmów najczęściej powo-
dujących uczulenia (to między innymi mleko krowie, produkty sojowe, jajka, zwłaszcza białka, orzeszki arachidowe,
skorupiaki, a czasami gluten zawarty w produktach z pszenicy, żyta, owsa i jęczmienia), zwłaszcza jeżeli ktoś w rodzinie ma skłonność do uczuleń. Jeśli wystąpi reakcja alergiczna, taka jak wysypka skórna lub biegunka, wykluczcie
uczulający składnik z jadłospisu malucha. Oczywiście nie
zakładajcie, że każdy przypadek wysypki czy biegunki
świadczy o alergii pokarmowej; takie dolegliwości mogą
mieć wiele innych przyczyn. Zwróćcie się do lekarza, który ustali, czy objawy dziecka rzeczywiście są spowodowane alergią (zob. rozdział 3).

Pokarmy stałe a karmienie piersią

Jeżeli matka karmiąca piersią musi na jakiś czas zostawić dziecko w ciągu dnia, to teraz, kiedy jej maluch
dostaje do jedzenia także inne rzeczy, powinna podjąć
dodatkowe kroki, żeby utrzymać laktację. W celu pobu-
dzania piersi do produkcji mleka pracująca mama powinna dwukrotnie karmić dziecko wieczorem – raz po

powrocie do domu i ponownie, zanim położy się spać. Wraz z porannym karmieniem i odciąganiem pokarmu raz lub dwa razy w pracy to powinno utrzymać laktację na odpowiednim poziomie.

Pokarmy stałe a sen

Wprowadzenie pokarmów stałych niekoniecznie pomoże dziecku w regulacji cyklu snu i czuwania. Być może spotkaliście się z opinią, że jeśli nakarmicie dziecko wieczorem kaszką, na pewno prześpi noc. Jednak przyzwyczajanie malucha do przesypiania całej nocy nie polega tylko na dbaniu o pełny brzuszek[9].

Niemowlę powinno już mieć za sobą okres intensywnego zainteresowania obrazami i dźwiękami, który w wieku czterech miesięcy zakłócał jego rytm snu i karmienia. Jednak nauka samodzielnego zasypiania po czterech godzinach czuwania zwykle jeszcze trwa. Jeżeli nadal karmicie dziecko co cztery godziny, wasza obecność utrwala się małemu jako część rytuału zasypiania. Dobrze byłoby zmienić ten zwyczaj.

Jak wspominaliśmy wcześniej, dobre efekty przynosi obudzenie dziecka między dziesiątą a jedenastą wieczorem, bo wówczas możliwe jest przestawienie czterogodzinnego cyklu snu i czuwania. Obudziwszy maluszka, pokołyszcie go chwilę, zaśpiewajcie mu coś, nakarmcie go

---

9 Zob. T. B. Brazelton, J. D. Sparrow, *Sen dziecka. Jak zapomnieć o nieprzespanych nocach*, przeł. A. Cioch, Sopot: Gdańskie Wydawnictwo Psychologiczne 2014.

i spróbujcie znów wywołać senność – pamiętając jednak, że musicie położyć go do łóżka, zanim na dobre zaśnie. Inaczej nigdy nie nauczy się samodzielnie zasypiać. Ułóżcie niemowlę w łóżeczku, kiedy jest już wyciszone, ale wciąż czuwa. Potem zachęcajcie je, żeby spróbowało zasnąć samo: „Teraz śpij. Na pewno możesz sam (sama) zasnąć". Zapewne będziecie musieli pogłaskać malucha, pomasować mu plecki lub posiedzieć obok łóżeczka, nie bierzcie go jednak na ręce, w przeciwnym razie na długo uzależni się od was przy zasypianiu.

Jeżeli wasz maluszek umie sam trafić kciukiem do buzi lub ssać smoczek oraz potrafi umościć się w wygodnej pozycji, najważniejszy etap nauki zasypiania ma już za sobą. Następnym razem, kiedy przebudzi się w nocy (około drugiej), pokręci się chwilę i zaśnie sam bez potrzeby karmienia.

Siadanie: nowa umiejętność i nowa pozycja przy karmieniu

Kiedy niemowlę zaczyna podnosić się do siadu, możecie stopniowo przyzwyczajać je do wysokiego krzesełka do karmienia. Podeprzyjcie je pod takim kątem zbliżonym do prostego, jaki najbardziej mu odpowiada. Jednak przypinając je szelkami, zwróćcie uwagę, żeby nie siedziało całkiem pionowo. W takiej pozycji bowiem opadnie do przodu i będzie potrzebowało jednej lub obu rąk, aby się podeprzeć, żeby znów siedzieć. Tak małe dziecko potrzebuje obu ramion do podparcia, żeby utrzymać się dłużej w pozycji siedzącej. W takich warunkach łatwo się denerwuje i męczy, dopilnujcie więc, żeby mogło odchylić się do wygodniejszej pozycji. Taka pozycja będzie mu potrzebna i do karmienia, i do sięgania raczkami po jedzenie, co już niedługo stanie się waszym utrapieniem.

Sięganie – nowa umiejętność i nowe utrudnienia

Nowym utrudnieniem podczas karmienia jest niedawno nabyta umiejętność sięgania po przedmioty. Początkowo, odchylając się do tyłu, niemowlę ćwiczy sięganie obiema rączkami jednocześnie. Około szóstego miesiąca życia potrafi już podeprzeć opadający tułów jednym ramieniem, drugim zaś próbuje pochwycić łyżeczkę pełną kaszki. Kiedy łyżeczka ma już trafić do buzi malucha, ten nagle ją potrąca i wszystko wylewa. Dajcie mu inną łyżeczkę, niech sobie nią stuka, uderza czy ją liże. Wolną rączkę najlepiej czymś zająć, kiedy proponujecie nowe smaki.

Nową sprawność malucha wykorzystajcie do zabawy z nim. Wykażcie się inwencją! Podsuńcie mu łyżeczkę w pozycji poziomej i nagle odwróćcie ją do pionu. Obserwujcie, czy maluch potrafi przewidzieć tę sztuczkę w chwili, gdy wyciąga rączkę. Wkrótce nauczy się obracać dłoń w sporej odległości od przedmiotu i ustawi paluszki do chwytu, przewidując jego pozycję. Dziecko okazuje zdolność do reakcji na nową informację wzrokową, zmieniając swoje zamiary co do ułożenia ręki czy całego ciała. Może nawet spojrzeć na was porozumiewawczo, widząc w tym świetną zabawę.

Sięganie po jedzenie i szukanie kontaktu z rodzicami

Cieszcie się nową zdolnością dziecka do szukania kontaktu z rodzicami. Pozwólcie mu dotykać waszej twarzy i ust. Badając twarz mamy, niemowlak skojarzy jej usta ze swoimi. Jeżeli cmokniecie wargami, i on cmoknie w odpowiedzi. Jeżeli wydacie warkoczący dźwięk, zrobi podobnie. Miejcie się teraz na baczności! Etap naśladowania nadchodzi wielkimi krokami i dziecko poza chwytaniem łyżeczki błyskawicznie nauczy się nowych sztuczek, a wszystko po to, żeby w najbliższych miesiącach torpedować wasze usilne próby nakarmienia go. Te zaczepki na pewno będą wam sprawiać przyjemność, o ile potraktujecie je jako pierwsze kroki przygotowujące malucha do odpowiedzialności za siebie i samodzielnego jedzenia!

Karmienie – czas bliskości

Czas karmienia jest wspaniałą okazją do wzajemnego poznawania się. Czasami pierwsze słowa malucha: „dada" – kiedy chce się bawić, i „mama" – kiedy woła o pomoc, padają właśnie w trakcie karmienia. W miarę jak dziecko stopniowo pracuje nad samodzielnym jedzeniem, przy posiłkach napotykacie coraz więcej komplikacji. Pomyślcie nad jakimiś nowymi sposobami prowadzenia go ku coraz większej niezależności. Liczcie się z tym, że maluch zaciśnie usta lub będzie uparcie odwracać głowę, kiedy stały pokarm mu się znudzi; bądźcie też zawsze gotowi na to, by błyskawicznie podstawić dłoń, żeby złapać przeżutą marchewkę czy groszek, którymi dziecko nagle postanowi was poczęstować!

Rozkład karmień

W przypadku zdrowych sześciomiesięcznych niemowląt zwykle zalecam stały harmonogram karmień, który ostatecznie może przybrać kształt zbliżony do poniższego. Dokładne ilości pokarmów mogą się różnić w zależności od wagi, wzrostu i aktywności dziecka.

7.00 – mleko

8.30 – gotowane i przetarte owoce

11.00 – rozcieńczony sok owocowy lub woda do picia (nie podawajcie więcej niż 90–120 ml soków dziennie; niemowlętom poniżej 6 miesiąca nie wolno podawać soków ani napojów owocowych; sok podawajcie tylko w kubeczkach-niekapkach, by nie przyzwyczajać do picia go z butelki; sok nie może zastąpić mleka i ważnych pokarmów stałych; nie trzeba ograniczać podawania wody)

12.00 – gotowane, zmiksowane mięso i warzywa, karmienie mlekiem

15.00 – woda lub sok, ewentualnie pokarm stały na przekąskę

17.00 – kaszka i owoce (gotowane i przetarte)

18.30 – mleko

21.30–22.00 – w razie potrzeby czwarte karmienie mlekiem

Taki rozkład jest celem, który niełatwo osiągnąć przy dziecku domagającym się częstszych karmień. Jeżeli wasz maluch jest karmiony piersią, nie spieszcie się z eliminacją karmień. Mama nadal powinna dość często stymulować piersi,

żeby utrzymać laktację. Jeżeli już podajecie dziecku pokarmy stałe, zauważycie, że wciąż sięga do piersi lub butelki. Ono wie, że mleko nadal jest najważniejszym skład-
nikiem jego pożywienia.

8 miesięcy

Utrwalenie rytuału i regularnych pór posiłków

W tym wieku pory karmienia powinny już być ustalo-
ne. Większość niemowląt przyzwyczaja się do trzech posiłków dziennie i regularnych pór przekąsek. Dwie przekąski dziennie – rano przed drzemką i po południu po
drzemce – są konieczne, ponieważ żołądek ośmiomiesięcznego malucha wciąż jest niezbyt pojemny i podczas
jednego posiłku mieści mniej niż żołądek starszego dziecka. Ponadto ośmiomiesięczne maluchy są bardziej aktywne i potrzebują więcej energii. Coraz lepiej zdają sobie sprawę z tego, kiedy są głodne. Pokarmy stałe i mleko
możecie podawać jednocześnie dla większej wygody. Kiedy późnym popołudniem maluch zaczyna grymasić, wszyscy wiedzą, że chce jeść i że trzeba zająć się karmieniem,
zostawiając wszystko inne na później. I mają rację.

Nowe umiejętności społeczne

Niemowlę już dobrze wie, jak zwrócić na siebie uwagę
otoczenia. W wieku 8 miesięcy wpatruje się w twarze

rodziców, żeby odczytać ich zamiary: „Czy przyniosą mi coś do jedzenia?", „Czy zaraz usiądą i mnie nakarmią?". Jeżeli nie wystarcza mu niema odpowiedź, której potrafi teraz domyślić się z ich miny, zaczyna wrzeszczeć tak przeraźliwie, że nikt się nie sprzeciwi. Zdolność czytania z twarzy znanych, bliskich osób jest kolejnym osiągnięciem rozwojowym. Dzięki niej dziecko przy posiłkach staje się bardziej kontaktowe i towarzyskie. Na etapie pierwszych samodzielnych prób jedzenia ta umiejętność społeczna pomaga mu obcować z członkami rodziny przy stole w nowy, bardziej zażyły sposób. W rezultacie staje się jednym z ważniejszych czynników motywujących do zdrowego odżywiania się.

Lęk przed obcymi

Wspomnianej nowej umiejętności towarzyszy jednak coraz lepsza zdolność rozróżniania osób, wyrażająca się lękiem przed obcymi, który sprawia, że dziecko nie pozwala się karmić nikomu oprócz rodziców. Ośmiomiesięczne niemowlę potrafi porównać, w jaki sposób obchodzi się z nim mama, a w jaki na przykład ciocia; doskonale wyczuwa różnice, które powodują, że lepiej i pewniej czuje się przy mamie.

Na tym etapie nie oczekujcie, że ktokolwiek poza wami zdoła nakarmić wasze dziecko. Jeżeli zaistnieje taka konieczność, uprzedźcie nową osobę, żeby nie patrzyła dziecku natrętnie w oczy, niech raczej stara się odwrócić jego uwagę, podając mu najpierw atrakcyjną zabawkę. Najlepiej niech zajmie czymś obie rączki malucha, żeby nie wyrywał jej łyżeczki. Osoba karmiąca powinna trzymać łyżeczkę wysoko i podawać na niej coś, co na pewno dziecku smakuje. Liczcie się z tym, że maluch może nie zaakceptować zastępstwa przy karmieniu nawet przez cały tydzień.

Pełzanie i chwytanie: nowe umiejętności, nowe zagrożenia

Kolejna nowa sprawność to pełzanie lub czołganie się po podłodze. Wraz z nią przychodzi nieodparta chęć korzystania z jeszcze jednej – chwytania. Dziecko zgarnia kłębki kurzu, ziarenka ziemi i piasku, cokolwiek tylko znajdzie na swojej drodze. Ośmiomiesięczny maluch wkłada wszystko do buzi, żeby to gruntownie zbadać, a nawet połknąć. Mama i tata, zanim pozwolą dziecku na pełzanie, stają przed koniecznością dokładnego sprawdzenia podłogi, usunięcia z niej drobnych przedmiotów i bardzo częstego zamiatania (jakby i bez tego mieli mało roboty!). Proponuję rodzicom, żeby sami pochodzili po podłodze na czworakach, aby sobie należycie uzmysłowić, jakie niebezpieczeństwa czyhają na ruchliwego brzdąca w coraz większym świecie. Przede wszystkim jednak umiejętność chwytania przydaje się dziecku przy samodzielnym jedzeniu.

Nowe odkrycie – paluszki!

Od momentu, gdy dziecko zaczyna siadać, jeszcze przez jakiś miesiąc potrzebuje podparcia na rękach, żeby się nie przewracać. Do niedawna jego rączki były zajęte tworzeniem bezpiecznego podparcia. Jednak po opanowaniu przez malucha pewnego siedzenia i balansowania ciałem ramiona i dłonie są już wolne i chętne do nowych czynności. Następnym etapem jest praca nad precyzyjnymi ruchami dłoni i palców. Dla dziecka paluszki są niezwykle intrygującymi narzędziami. Potrafi nimi sterować. Potrafi za ich pomocą podnosić małe przedmioty. Nie można się dziwić, że ośmiomiesięczny brzdąc będzie również wytrwale z nich korzystał przy zadaniu tak ważnym i ciekawym jak jedzenie.

Początki samodzielnego jedzenia

Kiedy ośmiomiesięczny szkrab odkrywa swoje paluszki, jego dłonie natychmiast stają się przedłużeniem ust podczas penetrowania świata. Wciąż jeszcze daleko mu do tego, by w tych eksperymentach palce całkowicie zastąpiły buzię, ale pierwszy krok został już zrobiony. Obserwując dziecko podnoszące do ust kawałki jedzenia czy małe przedmioty, możecie zauważyć wyraźną przemianę. Zaintrygowane dotyka kółeczka płatków cheerios, jakby pytało: „Jak to się stało, że wcześniej nie zauważyłam tej dziurki w środku? Jakie to ciekawe!". Weźmie kółeczko do rączki, wetknie paluszek w dziurkę. Kiedy płatek przyklei się do palca i maluch uniesie go, nie chwytając, spojrzy triumfalnie, jakby mówił: „Ale udała mi się sztuczka!".

Wskazywanie

Ośmiomiesięczne niemowlę doskonali chwytanie rękami. Jeszcze niedawno wielką radość sprawiało mu zagarnianie papek, zabawek i innych przedmiotów całą dłonią, teraz już zaczyna rozdzielać paluszki. W trakcie tej czynności zauważa, że może celować w przedmioty. Wskazując jakąś rzecz, pochrząkuje nagląco, żeby ją dostać. Pokazywanie jest doskonałym sposobem na porozumiewanie się z innymi. Maluch, celując w coś palcem, komunikuje: „Popatrz na to!", „Daj mi to!", a kiedy pokazuje swoją butelkę czy jedzenie na waszym talerzu, oznajmia, że jest głodny, albo wskazuje, co wolałby zjeść. Wskazywanie jest też ważnym osiągnięciem społecznym. Dziecko z wyciągniętym paluszkiem zdaje się mówić: „Przyjrzyjmy się temu razem". Niestety, palec wskazujący jest doskonałym narzędziem do badania nie tylko kaszek i przecierów, ale także gniazdek elektrycznych, zachowajcie więc najwyższą czujność. Załóżcie zatyczki ochronne na gniazdka. Niemowlę w tym wieku ma potrzebę wtykania palców we wszystko, co mu podajecie do jedzenia. Jego rączki będą stale brudne. Nie róbcie z tego problemu.

Chwyt pęsetkowy

Prawdziwą rewolucją u ośmiomiesięcznego dziecka jest pojawienie się umiejętności unoszenia przedmiotów między palcem wskazującym a kciukiem. W kolejnym miesiącu życia maluch odkryje, że potrafi uwięzić między tymi palcami nawet malutki kawałeczek jedzenia – okruszek herbatnika lub drobinkę mięsa. To niezwykle doniosła chwila: dziecko właśnie opanowało chwyt pęsetkowy. Nic dziwnego, że jest rozradowane i podekscytowane. Oznacza to także, że teraz z łatwością będzie chwytać małe niebezpieczne przedmioty – na przykład gwoździe, pinezki, odpryski farby, monety – które zaraz włoży do buzi. Wspomniane wcześniej ostrożność i czujność, jeśli chodzi o wszystko, co znajduje się w zasięgu dziecka, nabierają jeszcze większego znaczenia.

Nowe umiejętności a jedzenie

Kiedy dziecko trenuje wspomniane sprawności, może nadejść trudny moment przełomowy. Wytrwałe skupienie na umiejętnościach, które się właśnie kształtują, powoduje przejściowe cofnięcie się w innych dziedzinach rozwoju. Rodzice powinni stale pamiętać, jaka jest przyczyna tych pozornych kroków wstecz, i traktować je jako swego rodzaju przygotowanie do kolejnych postępów w rozwoju. Jedzenie paluszkami jest milowym krokiem w stronę niezależności, a także samodzielnego wyboru pokarmu. Takie wybory powinniście rozumieć z perspektywy dziecka: jego entuzjazm i fascynacja nowymi możliwościami będą głównym czynnikiem motywującym do samodzielnego jedzenia.

Ponadto dziecko w tym wieku jest zaciekawione tym, jak działają kubeczek i łyżeczka. Ochoczo bada jedną łyżkę, podczas gdy karmicie go drugą. Tłucze nią zapamiętale o tackę, talerzyk lub stół. Wtyka ją w papkę, którą go karmicie. Chwyta za brzeg kubka, potem za ucho. Jeżeli zaryzykujecie i włożycie coś do kubeczka, aby sprawdzić, czy maluch zacznie z niego jeść, oczywiście przewróci go do góry dnem. Na początek wlejcie doń wody. Sprytnym rozwiązaniem jest kubeczek z dzióbkiem i dobrze dopasowaną pokrywką. Nie kładźcie też miski z jedzeniem na stoliku dziecka, bo może ją sobie założyć na głowę.

Nowo opanowany chwyt pęsetkowy pozwala sprawnie trzymać kawałki pożywienia. To oczywiste, że maluch chce jak najczęściej korzystać z tej umiejętności! Aby nie stracił zainteresowania karmieniem, podajcie mu jeden lub dwa kawałki czegoś miękkiego do jedzenia, na przykład plasterki banana. Połóżcie je na blacie krzesełka do karmienia, zanim zaczniecie podawać łyżką przetarte warzywa czy mięso. Podczas gdy dziecko trudzi się, podnosząc kawałek banana dwoma palcami, wy karmcie je łyżką.

Przekąski „do rączki"

Kiedy po raz pierwszy położycie przed dzieckiem pokrojone przekąski, maluch zapewne strąci je z blatu. Nie zwracajcie na to uwagi i podajcie mu jeszcze dwa kawałki. Pod krzesełko do karmienia warto podłożyć ceratę, możecie też pozwolić, by zrzucone jedzenie „sprzątnął" pies. Inaczej podłoga będzie wiecznie upstrzona resztkami pokarmu.

Kawałki pokarmu powinny być dla dziecka atrakcyjne, zwłaszcza na początku. Muszą być dostatecznie zwarte, żeby mogło je chwycić i unieść, a jednocześnie na tyle miękkie, żeby dały się połykać w całości lub łatwo przeżuć. Doskonale nadają się tu płatki śniadaniowe, ponieważ szybko rozmakają w buzi, tworząc papkę idealną dla malucha. Inne dobre rzeczy to pokrojone miękkie owoce, kawałki gotowanych pulpetów wołowych (nie mogą być zbyt suche), gotowane jarzyny, rurki makaronowe, kawałki tofu, miękki ser żółty oraz chleb bez skórki. Wszystkie wymienione produkty dają się łatwo zmiękczyć w buzi i połknąć.

Co robić, gdy dziecko się zadławi

Przygotujcie się na wypadek, gdyby dziecko zakrztusiło się lub połknęło jakiś niebezpieczny drobny przedmiot z podłogi. Powinniście mieć pod ręką poradnik pierwszej pomocy dla niemowląt. Przeczytajcie go uważnie, zanim zaczniecie podawać dziecku pokarmy stałe. Możecie też zapisać się na kursy pierwszej pomocy organizowane przez Czerwony Krzyż, miejscowe ośrodki zdrowia i inne instytucje.

Jeżeli dziecko jest w stanie krzyczeć i kaszleć samo z siebie, pozwólcie mu odkrztusić kawałek pokarmu lub przedmiot, który utkwił mu w gardle. Jeśli zaś nie może porządnie odkaszlnąć i ma kłopoty z oddychaniem, ale jest przytomne, połóżcie je brzuszkiem do dołu na swoim przedramieniu, z głową poniżej tułowia, podpierając mocno dłonią jego główkę i kark. W przypadku ciężkiego maluszka najlepiej oprzeć ramię na kolanach. Nasadą drugiej dłoni uderzcie go 4–5 razy między łopatkami. Jeżeli to nie przyniesie skutku, przyłóżcie wolną dłoń i ramię do jego pleców i odwróćcie dziecko na plecy, wspierając jego głowę i szyję. Głowa powinna być nieco poniżej tułowia. Następnie dwoma lub trzema palcami uciśnijcie klatkę piersiową niemowlęcia w okolicy mostka. Uważajcie, żeby uciskające palce znalazły się tuż pod linią sutków, a nie na dolnej części mostka. Na przemian stosujcie naciski na pierś i uderzenia w plecy, dopóki dziecko nie wykrztusi z przełyku ciała obcego.

Jeżeli stwierdzicie, że maluch jest nieprzytomny lub nie oddycha, spróbujcie go ocucić, poklepując go po ramieniu, i natychmiast zawołajcie kogoś, kto wezwie pogotowie. Wy nie opuszczajcie dziecka. Jeżeli w pobliżu nie ma nikogo, wykonajcie telefon, ale dziecko trzymajcie przy sobie. Następnie rozpocznijcie resuscytację. U niemowląt poniżej roku życia nie zaleca się manewru Heimlicha. Wszyscy rodzice dzieci w wieku poniżej 8 miesięcy powinni zaopatrzyć się w instrukcje dotyczące pierwszej pomocy przy zadławieniach. Przy telefonach przyklejcie karteczki samoprzylepne z numerami alarmowymi.

Nowe umiejętności, nowe środki bezpieczeństwa

Zapobieganie jest najlepszym lekarstwem. Sprawdzajcie, co leży na podłodze, i zamykajcie wszystkie szafki. Nigdy nie zostawiajcie małych, łatwych do połknięcia przedmiotów na podłodze ani w innych miejscach, gdzie dziecko mogłoby je znaleźć. Do jedzenia podawajcie mu tylko dwa małe kawałeczki za jednym razem. Miejcie pod ręką wodę, sok czy choćby mleko, żeby maluch mógł popić w razie potrzeby. Nie stójcie nad nim i nie popędzajcie go przy jedzeniu. Tak małe dziecko może zareagować na presję zadławieniem.

Potrzeby żywieniowe – mleko jest wciąż najważniejsze

Pamiętajcie, że podawane dziecku kawałki pokarmów stałych służą jedynie zainteresowaniu go jedzeniem. W tym wieku maluch skupia się na samodzielnym wkładaniu jedzenia do buzi. Jeżeli mu na to nie pozwalacie i karmicie go sami z obawy, że za mało zje, możecie w nim wzbudzić głęboką niechęć do jedzenia, które podajecie. Gra nie jest warta świeczki. Starajcie się nie wypaść z łask dziecka. Mleko nadal jest jego najważniejszym pokarmem.

10 miesięcy

Nauka wstawania

Teraz pory karmienia przypominają przedstawienie cyrkowe. Matki dziesięciomiesięcznych niemowląt często się skarżą, jak bardzo są sfrustrowane i wykończone tym, że dziecko co chwilę próbuje się podnieść, kiedy powinno grzecznie siedzieć i jeść. Maluch w tym wieku nie usiedzi jednak spokojnie na swoim krzesełku bez popisania się nową umiejętnością wstawania! Przypnijcie go starannie szelkami do krzesełka (przed zakupem sprawdźcie, czy ma ono atest, i przestrzegajcie instrukcji producenta) i nie oddalajcie się. Inaczej brzdąc najprawdopodobniej wstanie, odwróci się, żeby przytrzymać się oparcia, a potem zsunie na podłogę.

Teraz istotne jest wprowadzenie stałych zwyczajów związanych z karmieniem. Używajcie zawsze tego samego krzesełka z szelkami zapewniającymi dziecku bezpieczeństwo. Jednym z rytuałów, którego będzie ono wyczekiwać przy każdym posiłku, jest podsuwanie przez was kawałków stałych pokarmów – jeżeli będzie wystarczająco głodne, chętnie zje je samo. Dzięki podobnym zabiegom maluch się przyzwyczai, że posiłki zawsze są o tej samej porze, w tym samym miejscu, jedzone w ten sam sposób. Taki zwyczaj będzie potrzebny, bo pomoże uspokoić dziecko przed jedzeniem. Nie jest jednak dobrym zwyczajem karmienie malucha przed włączonym telewizorem (zob. rozdział 3).

Preferencje żywieniowe

Prawdziwe kłopoty mogą się dopiero zacząć. Dziecko wchodzi w okres, kiedy zaczynają się kształtować jego smak i upodobania kulinarne. Pewna matka zwierzyła mi się z rozpaczą: „Mały wcale nie chce jeść tego, co z takim trudem mu przygotowuję. Ledwo spróbuje, kręci głową, wypluwa, odpycha, nie i nie. Ręce mi już opadają!". Gdy zapytałem ją, dlaczego jest dla niej aż tak ważne, żeby dziecko zjadło akurat to, odparła: „Tyle się zawsze nastoję i nawymyślam, żeby mu przygotować coś pysznego. A kiedy nie chce tego jeść, mam poczucie, że mnie odrzuca. Zależy mi też na tym, żeby miał urozmaiconą dietę. On już prawie wcale nie pozwala mi się karmić!".

Rady dla rodziców

1. Nie zadawajcie sobie dodatkowego trudu, żeby przygotowywać wymyślne posiłki dla dziecka, jeżeli jego sprzeciw traktujecie zbyt osobiście. Dziecko w tym wieku lubi wciąż te same, znane mu zwyczaje i smaki. Nowy pokarm czasami trzeba mu podsuwać nawet do piętnastu razy, zanim się do niego przekona.

2. Dziesięciomiesięczne niemowlę zbliża się do etapu, kiedy będzie bardzo trudno przekonać je do urozmaiconej diety. Mleko i witaminy pomagają uzupełnić jadłospis. Zamiast się zamartwiać czy wywierać presję na malucha – co nic nie da – powinniście wybrać się z nim do pediatry, żeby się upewnić, czy jego rozwój przebiega prawidłowo i czy otrzymuje wszystkie niezbędne składniki odżywcze (włącznie z żelazem).

3. Niedługo maluch odepchnie mamę jako główną karmicielkę. Zachęcałbym matki do uszanowania potrzeb dziecka, które chce być coraz bardziej samodzielne w zakresie odżywiania. Organizujcie posiłki tak, żeby maluch mógł się cieszyć nauką samodzielnego jedzenia. W przeciwnym razie doprowadzicie do ciągłych utarczek o jedzenie, z których z pewnością nie wyjdziecie zwycięsko.

4. Dawajcie dziecku do jedzenia pokarmy o różnym smaku i konsystencji, z którymi poradzi sobie samodzielnie. Podawajcie je często i bez przymuszania. Nie oczekujcie, że dziecko zechce ich spróbować za pierwszym, drugim, a nawet trzecim razem!

Zapobieganie reakcjom alergicznym

Jajka należy podawać dopiero po 10 miesiącu życia, a nawet jeszcze później. Niech maluch najpierw spróbuje samego żółtka, a po jakimś czasie, około 12 miesiąca, podajcie mu białko. Jajecznica to świetne jedzenie do rączki! Jajka należą jednak do pokarmów najczęściej wywołujących uczulenie w postaci wysypki na skórze. Jeżeli zauważycie u dziecka wysypkę, natychmiast wykluczcie jaja z jego diety. Lekarz pomoże wam ustalić, czy wysypka jest rzeczywiście reakcją alergiczną, byście bez wyraźnych przeciwwskazań nie musieli rezygnować z tak cennego źródła białka. Jeżeli alergia wystąpiła, unikajcie też wszystkich innych potraw zawierających jaja kurze, dopóki dziecko nie skończy 2 lat; wtedy poradźcie się lekarza, czy możecie spróbować jeszcze raz.

Karmienie piersią

Pokarm matki wciąż jest dla dziecka cenny ze względu na zawarte w nim przeciwciała i enzymy trawienne. Teraz jednak dziecko musi czerpać składniki odżywcze także z innych źródeł, zwłaszcza żelazo, witaminę D i cynk. Natomiast karmienie piersią wciąż pozostaje wspaniałym sposobem na okazywanie serdeczności i zacieśnianie więzi uczuciowej między dzieckiem a matką, kiedy ta po południu wraca z pracy. Matki niemowląt w tym wieku zauważają, iż maluch jest tak pochłonięty rozmaitymi rzeczami, że nie chce długo ssać. Często się martwią, że dziecko w tak krótkim czasie nie zdoła wypić wystarczająco dużo mleka. Nie ma obawy, w ciągu pierwszych pięciu minut karmienia z pełnej piersi maluch może wyssać aż 180 ml!

Jeżeli karmicie swojego malucha butelką, możecie to sprawdzić na podziałce – ssie tak skutecznie, że potrafi wypić 180 ml w ciągu 8 minut.

Pora na odstawienie od piersi?

Czy dziecko w tym wieku powinno się odstawić od piersi i przestawić na picie z kubeczka? Nie sądzę. Kubek, najlepiej taki z dzióbkiem, można oczywiście wprowadzić. Jednak dziesięciomiesięczny maluch wciąż ma dużą potrzebę ssania. Jest to naprawdę wspaniały sposób na samodzielne wyciszenie się, kiedy jest pobudzony, i na rozdrażnienie spowodowane przeciążeniem wrażeniami lub bodźcami po długim dniu. Ssanie pozwala dziecku się uspokoić, zapaść w błogi stan odprężenia i senności. Jest to jego pierwsza strategia z wyboru, jakiej używa do radzenia sobie z frustracją, zmęczeniem, nadmiernym pobudzeniem i głębokimi, przytłaczającymi emocjami.

Nie uważam, że w pierwszym roku życia dziecka powinno się rezygnować z podawania mu piersi w przytulnej, ciepłej, pełnej miłości atmosferze. Dla malucha jest to rok pełen ogromnych wyzwań. Tak wiele musi się jeszcze nauczyć. Nie ma powodu, żeby narażać go na dodatkowy stres w wieku 10 miesięcy.

Natomiast wiele matek właśnie na tym etapie dojrzewa już do zakończenia karmienia piersią. Zanim jednak podejmiecie decyzję, przypomnijcie sobie opisaną wcześniej w tej książce mamę, która miała poczucie, że każdy postęp dziecka w tym okresie rozwoju oznacza dla niej, że maluch już jej nie potrzebuje. Oczywiście to nieprawda. Karmienie piersią zapewnia bezcenne chwile na odnawianie łączącej was serdecznej uczuciowej więzi.

Pozwólcie dziecku ćwiczyć wszystkie nowo zdobyte sprawności – jedzenie paluszkami, używanie kubeczka, łyżki i rąk, odmawianie jedzenia i zrzucanie go na podłogę, wstawanie, wymawianie pierwszych słów, eksperymentowanie z ustami, wargami i strunami głosowymi. Wszystko to może ono doskonalić w trakcie jedzenia. Rozważcie jednak dalsze karmienie piersią – niech ten ciepły kontakt, którego oboje potrzebujecie, wynagrodzi dziecku jego odważne kroki ku niezależności.

Stałe pory posiłków

Przygotowujecie teraz dobry grunt pod to, żeby posiłki były chwilami wspólnoty, a dziecko poczuło, że ma już pewną swobodę przy stole i może samo zająć się swoim jedzeniem. Obie strony, mama i dziecko, z czasem dojrzeją do zamknięcia etapu serdecznej bliskości przy karmieniu piersią, kiedy inne formy kontaktu zaczną zastępować te cudowne wspólne chwile. W miarę jak maluch uczy się siedzieć spokojnie i jeść własnoręcznie, a do was mówi już pierwsze słowa, posiłki w rodzinnym gronie mogą stać się radosnym czasem bliskości, który zastąpi intymny kontakt fizyczny i przytulanie podczas karmienia.

12–24 miesiące

Roczek!

Tort urodzinowy z jedną świeczką pośrodku – a może i drugą na szczęście! Lukier z ciasta na buzi, rączkach, meblach, sukience mamy i marynarce tatusia – kto by się tym przejmował! Tak wspaniale jest świętować wszystkie osiągnięcia tego pierwszego, niezwykle ekscytującego roku. Mama i tata pękają z dumy: „Daliśmy radę! Dowiedliśmy, że jesteśmy dobrymi rodzicami!". Babcie, dziadkowie, ciocie, wujkowie i kuzyni za ich plecami zapewne uśmiechają się ironicznie na tyle hałasu z tak prozaicznego powodu. Starsze rodzeństwo zazdrości maluchowi i próbuje grać pierwsze skrzypce. Ale to się nie może udać. Niewiele jest wydarzeń, które mogłyby się równać z tym.

Przed rodzicami kolejny burzliwy rok. Być może już dostrzegają jego zwiastuny. W społeczeństwach takich jak nasze, stawiających na wychowanie do śmiałości i niezależności, rodzice w drugim roku życia dziecka zmierzą się z falą uporu, przekory, a nawet buntowniczości. Termin „bunt dwulatka" zwykle odnosi się do zachowań z drugiego i trzeciego roku życia. Gdyby udało nam się zamienić tę nieco zużytą etykietkę na „triumf dwulatka", może zdołalibyśmy odwrócić oczekiwania i zmienić punkt widzenia na dziecko w tym wieku. Maluch w wieku poniemowlęcym uczy się niezwykle dużo i daje wspaniałe świadectwa swoich osiągnięć. W ciągu następnych dwóch lat bardzo się usamodzielni i właśnie jedzenie jest jednym z obszarów, gdzie widać to najwyraźniej. Zmieni się także schemat żywienia, ponieważ tempo wzrostu dziecka maleje w porównaniu z pierwszym rokiem życia i maluch będzie potrzebował mniej pożywienia niż oczekują rodzice.

Wspieranie samodzielności przy jedzeniu

Jeśli chodzi o jedzenie, to kończąc roczek, dziecko staje na ważnym rozdrożu. Wie już, że może je spożywać albo się nim bawić. Może jeść samo lub „karmić podłogę". Może dokonywać wyborów. Może zacisnąć buzię i odmówić jedzenia. Jego sprzeciw wobec karmienia przez dorosłych może być łagodny lub bardzo stanowczy. Ale na pewno nie jest już na łasce innych.

Powinniście w każdym posiłku dziecka dostrzec okazję do cieszenia się z jego samodzielności i wspierania go w niej, nie rezygnując jednocześnie z roli troskliwych opiekunów i żywicieli. Czy potraficie zaakceptować fakt, że teraz wasza rola i pozycja są zupełnie inne niż wtedy, gdy maluch było jeszcze „waszym dzidziusiem"? Pewna matka powiedziała mi kiedyś ze łzami w oczach: „Nie potrafię się pogodzić z tym, że moje maleństwo tak się ode mnie oddala. Wiem, że powinnam pragnąć, by dorosło i dojrzało, ale już teraz czuję, jakbym je w pewnym sensie straciła. Jedynym sposobem na zatrzymanie go przy sobie jest pilnowanie, żeby dobrze jadło. Kiedy i na to się nie zgadza, czuję, że słodkie chwile macierzyństwa mijają bezpowrotnie. Już nie potrafię z niego czerpać satysfakcji".

Wkroczenie dziecka w wiek poniemowlęcy wymaga, żeby rodzice zmierzyli się ze swoją nową rolą. Kiedy mama czy tata pytają: „Co mam zrobić, żeby powstrzymać napad wściekłości dziecka?", muszę ich zaskoczyć swoją odpowiedzią: „Nic". Kiedy pytają: „Jak mamy go skłonić do spożywania urozmaiconych potraw?", znów odpowiadam: „I tak nie jesteście w stanie". Przykro tego słuchać, prawda? Niezwykle trudno jest odpuścić i pozwolić małemu dziecku na samodzielne zdobywanie doświadczenia, zwłaszcza w sytuacjach, gdy tylko ono może sobie pomóc, a wy nie.

Duchy znad kołyski

Zapytałem kiedyś mamę rocznego dziecka: „Czy radzi sobie pani z tym, że mały je rączkami i bawi się jedzeniem?". Wyznała, że ściska jej się żołądek, kiedy maluch rzuca jedzenie psu. Gdy zapytałem ją, czy wie, dlaczego tak się czuje, odpowiedziała, że nie może patrzeć, jak marnuje się jedzenie. Drążyłem temat: „Nikt tego nie lubi, ale ciekawe, dlaczego panią tak bardzo to dotyka?". Wówczas kobieta wyznała, że jej matka zawsze powtarzała: „Dostaniesz wszystkiego po trochu. Tylko żeby mi nic nie zostało na talerzu! Na świecie jest pełno głodujących dzieci. Dziękuj Bogu, że masz co jeść. Nie wstaniesz od stołu, dopóki wszystko nie zniknie z talerza'". Gdy zapytałem ją, czy uważa, że może to mieć związek z jej ściśniętym żołądkiem, kobieta aż podskoczyła: „Przysięgałam sobie, że nigdy, przenigdy nie będę tak postępowała ze swoimi dziećmi. Nie chcę być taka. Co mam robić?".

Jak radzić sobie z protestami malucha podczas posiłków

1. Nie stójcie nad dzieckiem jak kat, żeby je nakarmić. Spróbujcie odwrócić od niego swoją uwagę, zajmując się zwykłą krzątaniną w kuchni.
2. Pozwólcie dziecku na dokonywanie własnych wyborów.
3. Proponujcie mu najwyżej dwa kawałki przekąski do rączki naraz, a gdy ono je, zajmijcie się innymi kuchennymi obowiązkami.
4. Pozwólcie dziecku wypróbować niełamliwe sztućce. Większość dzieci nabiera wprawy w posługiwaniu się łyżką około 16 miesiąca życia (w Japonii dzieci osiemnastomiesięczne zaczynają już posługiwać się pałeczkami!). Dla mnie jest to najlepszy dowód wytrwałości i determinacji, z jaką naśladują dorosłych i dążą do osiągania trudnych celów.
5. Kiedy dziecko zje podane mu dwa kawałki przekąski, połóżcie przed nim dwa następne.
6. Podając mu jedzenie, stójcie za nim, nie przed nim.
7. Spróbujcie oferować dziecku jeden rodzaj pokarmu naraz, żeby skupiło się na nim, nie rozpraszając się innymi.
8. Kiedy dziecko zaczyna bawić się jedzeniem lub je rozrzucać, jest to sygnał końca posiłku. Zdejmijcie je z krzesełka i neutralnym, niekrytycznym tonem powiedzcie: „Obiad skończony".
9. Poza ustalonymi porami przekąsek nie podawajcie dziecku nic do jedzenia między posiłkami. Małe dzieci potrzebują przekąsek – podawane codziennie o stałych porach stanowią one ważne uzupełnienie dziennego zapotrzebowania na składniki pokarmowe. Natomiast nie ma

mowy o dokarmianiu między posiłkami. Rodzice próbuję tego, żeby wmusić coś w dziecko, kiedy ono jest
zajęte czymś innym. Jednak w efekcie maluch nie będzie głodny, gdy przyjdzie pora posiłku.

Podczas wspólnego rodzinnego posiłku możecie posadzić dziecko na specjalnym krzesełku do karmienia, o ile
potrafi się skupić na jedzeniu lub przynajmniej przyczynia się do miłej rodzinnej atmosfery. Jeżeli jednak zacznie
was prowokować, zdejmijcie je z krzesełka, niech się po-
bawi gdzie indziej – oczywiście w bezpiecznym miejscu.

Kiedyś radziłem rodzicom, by cała rodzina zawsze ja-
dała wspólnie. Jednak przy własnych dzieciach szybko
zrozumiałem to, co wiedzą wszyscy rodzice brzdąców
w wieku poniemowlęcym: „To istne piekło, kiedy mały siedzi z nami przy stole i nic, tylko droczy się o jedzenie". Jeżeli rodzinne posiłki z jednorocznym maluchem
sprawiają więcej przykrości niż radości, lepiej nie zmu-
szajcie do nich dziecka i pozwólcie mu bawić się w pobliżu, żeby pora posiłku pozostała okazją do spotkania
rodziny. Dzięki temu nie będzie ono miało nieprzyjem-
nych wspomnień związanych z jedzeniem, które mogłyby mu utrudnić czerpanie przyjemności z jedzenia nawet w starszym wieku. Najlepiej nakarmcie je przed
rodzinnym posiłkiem. Potem, kiedy reszta rodziny zacznie
jeść, dziecko może posiedzieć z wami dla towarzystwa.

Niektórzy rodzice oponują: „Ale w ten sposób dziecko wcale się nie naje. Normalnym jedzeniem się bawi,

a jeść chce tylko mleko. Nie radzi sobie z łyżką i widelcem. Ciągle przewraca kubek". Zgadza się. Maluch wyczuwa, że jedzenie to dla rodziców bardzo ważna sprawa. Aby więc uwolnić ich od presji, skupiam się na czterech elementach diety, które naprawdę są niezbędne w wieku poniemowlęcym. Dzielę się tą wiedzą z rodzicami brzdąców, żeby z jak największym spokojem podchodzili do tego, ile ich maluch powinien zjeść w ciągu doby, by zdrowo rosnąć. Podane w ramce pokarmy można rozdzielić między trzy posiłki i dwie lub trzy przekąski przypadające na każdy dzień (oczywiście zapotrzebowanie różnych dzieci zależy od wielu indywidualnych czynników, między innymi wzrostu, wagi, poziomu aktywności czy tempa przemiany materii – aby dokładnie poznać potrzeby żywieniowe swojego dziecka, skonsultujcie się z pediatrą).

Potrzeby żywieniowe dziecka w drugim roku życia[10]

1. Około 500 ml mleka (konieczne ze względu na zawartość wapnia i białka) – podczas dwóch lub trzech karmień piersią lub dwie porcje mleka następnego z butelki (mieszanki mlecznej o zmodyfikowanym składzie substancji odżywczych, dostosowanym do wieku dziecka). Mleko następne powinno zawierać żelazo i witaminę D. Przed ukończeniem roku nie zaleca się podawania mleka krowiego, które ma niską zawartość żelaza i może zakłócać jego przyswajanie z innych źródeł. Kiedy

---

[10] Dokładne ilości mogą być różne w przypadku poszczególnych dzieci.

dziecko będzie gotowe na mleko krowie (zapytajcie pediatry), podawajcie mu wyłącznie pełne mleko wzbogacone witaminą D. Porcję mleka można zastąpić kubkiem jogurtu lub serem w ilości 30–60 g, a nawet mlekiem czekoladowym czy lodami. Tłuszcze zawarte w produktach z pełnego mleka w pierwszym roku życia korzystnie wpływają na rozwój mózgu. Jeżeli dziecko z jakichś powodów okresowo nie toleruje mleka i produktów mlecznych, poproście lekarza o preparaty uzupełniające wapń i witaminę D.

2. 90–120 g białka. Może to być pulpecik z gotowanej chudej wołowiny, jajko, fasola, tofu.

3. Pół kromki chleba z pełnego ziarna i pół kubeczka płatków z pełnego ziarna, makaronu lub klusek powinny (wraz z mlekiem) zaspokoić zapotrzebowanie na węglowodany i energię potrzebną ruchliwemu maluchowi. Dziecko kończące dwa lata może potrzebować ich nieco więcej. Pełne ziarno zapewnia też błonnik zapobiegający zatwardzeniom.

4. Żelazo – mięso, takie jak wołowina, również dostarcza żelaza. Zamiast niego możecie podawać warzywa bogate w ten pierwiastek (np. ciecierzyca, soczewica, fasola, szpinak, jarmuż), chociaż żelazo w nich zawarte jest trudniej przyswajalne (w takim wypadku podawajcie je razem z produktami bogatymi w witaminę C, jak pomidory, melony, owoce cytrusowe, co ułatwi wchłanianie żelaza). Wiele dzieci jednak niechętnie je warzywa. Jeżeli wasz maluch nie chce ich jeść, poproście lekarza o przepisanie żelaza w kropelkach.

5. Jeden lub dwa kawałki owoców (przed ukończeniem roku owoce cytrusowe mogą częściej powodować wysypki

alergiczne) lub 90–120 ml soku owocowego zawierającego witaminę C. Dla dzieci w wieku od roku do 6 lat maksymalna ilość to 180 ml. Soki owocowe przyczyniają się do próchnicy zębów i sprawiają, że dziecko czuje się syte, zanim zje dość pokarmu niezbędnego dla zdrowia.

6. Proponujcie rozmaite gotowane warzywa i zieleninę, ale nigdy nie wmuszajcie ich w dziecko. Nie zakładajcie z góry, że ono ich nie polubi, ale też nie niepokójcie się, jeżeli faktycznie nie będą mu smakować. Zachowując spokój i cierpliwość, unikniecie utarczek i zapoznacie dziecko stopniowo z szeroką gamą smaków. Na razie zamiast warzyw, jeśli ich nie lubi, podawajcie mu multiwitaminę z minerałami w kroplach.

Aby zapobiec zadławieniom, uważajcie na owoce z pestkami i nasionkami, warzywa włókniste (np. seler), twarde orzechy i cukierki. Mięso powinno być zmielone lub drobno posiekane. Jeżeli podajecie dziecku wymienione w tej ramce główne składniki pokarmowe lub ich substytuty, możecie być spokojni i co do reszty zdać się na jego wybór. Podtrzymujcie serdeczne kontakty podczas wieczornego karmienia mlekiem. Niezależnie od tego, czy karmicie piersią czy butelką, przytulajcie wtedy dziecko, głaszczcie je, kołyszcie i śpiewajcie mu. Będzie to znacząca przeciwwaga dla jego zaciętej walki o niezależność za dnia.

Odradzam pozwalanie dzieciom na samodzielne picie z butelki – nie pozwalajcie na to ani w dzień, ani w nocy. Podawanie butelki na podpórce lub dawanie jej dziecku do ręki, żeby nosiło ją ze sobą i popijało przez cały dzień, nie zastąpi bliskości z rodzicem podczas karmienia. Kiedy widzę malucha noszącego po domu butelkę z mlekiem, myślę o tym, że:

- jest samotny i opuszczony;
- jego rodzice chyba uważają, iż za wszelką cenę powinni wmusić w niego mleko, tymczasem on traci bliskość i kontakt z rodzicami, jakie daje mu każde karmienie, a przecież potrzeba ta nie znika w pierwszym roku niezależności; zachowajcie butelkę na wspólne, serdeczne chwile z dzieckiem;
- dzieci, które noszą ze sobą butelkę i mają do niej nieograniczony dostęp, są zagrożone próchnicą zębów mlecznych, zwłaszcza górnych siekaczy i zębów trzonowych, grozi im także w przyszłości próchnica zębów stałych.

Butelka w nocy

Równie fatalnym pomysłem jest zostawianie butelki na noc w łóżeczku dziecka, żeby nie było głodne. Zanim ułożycie malucha do snu, wieczorną butelkę albo ostatnie kojące karmienie piersią możecie stosować zamiast przytulanki, żeby przygotował się na rozłąkę z mamą i sen. Kładąc dziecko do łóżka z butelką mleka czy soku, narażacie jego przyszłe ząbki na próchnicę. Po wieczornym posiłku mlecznym zawsze podawajcie mu nieco wody, żeby oczyścić jamę ustną i chronić zęby przed zepsuciem.

Odstawianie od piersi

Nic, co dobre, nie trwa wiecznie. W naszej kulturze karmienie piersią w drugim roku życia nie jest zalecane. Jednak w innych społeczeństwach dziecko odstawia się od piersi dopiero wtedy, gdy mama po raz kolejny zajdzie w ciążę. Podziwiam kobiety, które mimo braku zachęty otoczenia nadal karmią piersią. Matki pracujące poza domem stają przed dodatkowymi problemami: odciąganiem pokarmu, przynoszeniem mleka do domu i utrzymaniem laktacji.

Jeżeli kobieta pragnie karmić piersią w drugim roku życia dziecka, to przed podjęciem decyzji powinna się zastanowić, co ją do tego skłania. Karmienie piersią nie jest łatwe, kiedy niemowlak zmienia się w ruchliwego dreptusia. Jeżeli kobieta kontynuuje je głównie dlatego, że nie potrafi się pogodzić z rosnącą autonomią dziecka, powinna to sobie uświadomić. W drugim roku życia dążenie do niezależności jest głównym i najważniejszym zadaniem malucha. Jeżeli mama nie potrafi udźwignąć nowych wyzwań tego okresu rozwojowego, może przeszkodzić mu w pokonywaniu kolejnych ważnych etapów.

Natomiast jeżeli motywacją do dalszego karmienia piersią są bliskość, chęć ukojenia i dostarczenia jak najlepszego pożywienia, to możecie się cieszyć tymi chwilami, dopóki trwają. Mama może prostymi słowami mówić dziecku o swoich uczuciach podczas tych błogich chwil. Jednocześnie powinna chwalić malca za siłę charakteru i doceniać jego dążenie do samodzielności w ciągu dnia.

Odstawianie od piersi w drugim i trzecim roku życia może być coraz trudniejsze, zwłaszcza gdy mama ma wobec tego mieszane uczucia. Jednym ze sposobów na ułatwienie maluchowi tego trudnego przejścia jest podanie mu przytulanki, która zastąpi mu pierś lub butelkę – czegoś miękkiego i kojącego do dotykania, jak pluszowa zabawka czy kocyk. Przygotowując się do karmienia, powiedzcie dziecku, żeby wzięło sobie misia lub kocyk: „Przytul go, kiedy będziesz jadła". Stopniowo wzmacniajcie znaczenie pocieszającego przedmiotu, kiedy maluszek upadnie czy się skaleczy albo gdy czeka go trudne zadanie, jak na przykład pójście do żłobka czy do łóżka. Po jakimś czasie spróbujcie pominąć jedno karmienie i zamiast niego podajcie dziecku przytulankę.

Jeżeli dziecko podczas karmienia miało zwyczaj bawienia się włosami lub drugą piersią mamy, dla pocieszenia może dotykać własnych włosków lub skóry. To dobrze! Dzięki temu łatwiej przejdzie okres odstawiania od piersi i nauczy się polegać na swoich sposobach na wyciszenie.

Nawet jeżeli mama nie ma już dużo mleka, wciąż może karmić dziecko wieczorem dla ukojenia. Przed pójściem spać podajcie mu trochę wody do picia po mleku lub kaszce – żeby zapobiegać próchnicy. Nawet jeśli zrezygnujecie z ostatniego karmienia, posiedźcie przy dziecku wieczorem, żeby nie czuło, iż traci łączność z wami. Przypomnijcie mu, że już od dawna umie się pocieszyć przytulanką. W ten sposób przekażecie w jego ręce odpowiedzialność za samodzielne wyciszenie się przed snem. Stopniowo dziecko oswoi się z tą sytuacją. W żadnym razie jednak nie zostawiajcie go samego z butelką!

W trakcie odstawiania dziecka od piersi kubek-niekapek powinien się znaleźć na pierwszym planie. W ciągu dnia podawajcie w nim przede wszystkim nabiał – serek, jogurt, lody, a także zwykłe mleko (które w dzień możecie też wlać do butelki). Mleko krowie jest bezpieczne dla większości dzieci, które skończyły rok. Tłuszcz zawarty w pełnym mleku odgrywa ważną rolę w rozwoju mózgu co najmniej do ukończenia przez dziecko 2 lat.

Każda mama powinna się zastanowić, kiedy z jej punktu widzenia nastąpi odpowiedni moment na odstawienie dziecka od piersi, ale zachowanie malucha może tu być pomocną wskazówką. Odstawienie od piersi wydaje się ważne dla dobra dziecka, jeżeli otoczenie wyraża się z dezaprobatą o takim sposobie karmienia. Maluch może to wziąć do siebie, myśląc: „Ciągle jestem małym dzidziusiem". W takiej sytuacji przeciąganie karmienia piersią może zagrozić jego samoocenie. Nie dopuśćcie do tego.

Kiedy odstawić butelkę

Podobnie jak przy odstawianiu od piersi, wybierzcie dla dziecka przytulankę, z której skorzysta, kiedy będzie tego potrzebowało. Proponowałbym taką, której nikt nie będzie wyśmiewał, w razie gdyby używało jej przez następnych kilka lat – może to być miś lub kocyk, ale i plastikowa ciężarówka. Zachęcajcie dziecko do przytulania i głaskania zabawki w trakcie picia z butelki. Stopniowo przestawiajcie je z butelki na przytulankę. Obiecajcie, że dostanie butelkę w porze posiłków i przed pójściem spać. Potem stopniowo eliminujcie butelkę z wieczornego rytuału. To może potrwać nawet miesiąc, więc bądźcie cierpliwi.

Jedzenie na wysokim krzesełku

■ Jak karmić dziecko, które się opiera i wierzga, kiedy chcemy je posadzić na krzesełku do karmienia?
Postępujcie stanowczo i zdecydowanie. Powiedzcie: „Czas na kolację". Usuńcie wszystkie bodźce, które rozpraszają malucha (np. odeślijcie starsze rodzeństwo do drugiego pokoju). Podajcie mu atrakcyjny przedmiot kojarzony z jedzeniem – może to być twardy sucharek, herbatnik, krakers czy coś innego, co mu w danym momencie smakuje, byle nic słodkiego (jeżeli raz podacie słodycze w nagrodę, dziecko może odmówić jedzenia innych rzeczy).

■ Co robić, kiedy dziecko usiłuje wydostać się z krzesełka? Akurat uczy się chodzić i wiemy, że to je najbardziej fascynuje.
Niech karmienie przebiega według ustalonego, wyczekiwanego rytuału. Powiedzcie: „Czas coś zjeść". Przypnijcie dziecko do siedzenia za pomocą szelek lub paska bezpieczeństwa, podajcie mu do rączki coś, co lubi. Jeśli zbyt silnie się opiera, na razie odłóżcie jedzenie. Zdejmijcie dziecko z krzesełka do następnego posiłku.

■ Czy powinniśmy nakarmić dziecko, kiedy chodzi po całym domu?
W żadnym wypadku. Jedzenie powinno być rytuałem. Karmienie dziecka pochłoniętego innymi rzeczami może doprowadzić do tego, że przyzwyczai się ono do ciągłego podjadania, co może mu zakłócić naukę rozpoznawania uczucia głodu i sygnalizowania, kiedy jest głodne, a kiedy się najadło. Ponadto będzie coraz mniej chętnie siadało na krzesełku do karmienia.

Plan posiłków w drugim roku życia

Idealny harmonogram obejmuje trzy pełnowartościowe posiłki, składające się na przykład z: mielonego mięsa drobiowego lub chudej wołowiny, tłuczonych ziemniaków, ryżu lub makaronu, marchwi i zielonych warzyw (jeżeli dziecko chętnie je zjada), musu jabłkowego lub kawałka innego owocu na deser, soku owocowego (nie więcej niż 120–180 ml dziennie) oraz dwóch przekąsek podawanych o ustalonych porach (krakersy, herbatniki, jogurt, ser, pokrojone owoce i warzywa). Jeżeli dziecko je z apetytem w porach regularnych posiłków, zazwyczaj wystarczy jedna przekąska rano i jedna po południu.

Roczny maluch potrzebuje w ciągu dnia przeciętnie 98 kalorii na kilogram masy ciała, czyli mniej więcej 850 kalorii dziennie. Jednak rzeczywiste zapotrzebowanie na energię może być różne, nie tylko w zależności od wzrostu i wagi dziecka, ale także od tempa procesu przemiany materii, poziomu aktywności i innych czynników indywidualnych. Poradźcie się lekarza, jeżeli uważacie, że wasz maluch za dużo lub za mało przybiera na wadze. W wieku 12 miesięcy norma wagowa wynosi od 7,5 kg do 12,5 kg, a wzrost powinien mieścić się w przedziale od 70 cm do 82 cm. Zgodna z normą waga dwulatków waha się od 10 kg do 15 kg, a wzrost – między 80 cm a 91 cm[11].

---

[11] Według National Center for Health Statistics.

Nauka picia z kubka

Możecie zapoznać swoje dziecko z kubeczkiem, kiedy skończy 6 lub 7 miesięcy; w wieku 9 miesięcy maluch najprawdopodobniej nauczy się pić z kubka, jeżeli mu go podtrzymacie. Samodzielnie dokona tego dopiero między 12 a 15 miesiącem życia. Nawet wówczas bądźcie przygotowani na to, że będzie czasem rozlewać picie. Kubki z przykrywką i dzióbkiem są zdecydowanie praktyczniejsze. Wzory w żywych kolorach motywują dzieci, które niechętnie oswajają się z piciem z kubka.

Kiedy moje dzieci przećwiczyły już picie z kubka w wanience, zaczęliśmy w czasie posiłków podawać im w kubeczkach odrobinę mleka lub soku owocowego. Zazwyczaj jednak najwięcej mleka trafiało do naszej suczki Alice. Czujny piesek był już przygotowany na to, że pod koniec każdego posiłku coś nagle spada na podłogę dla niego. Co prawda Alice spędzała większość czasu zwinięta w kłębek w przedpokoju, ale podczas posiłków zawsze się uaktywniała. Dobrze pamiętam rozradowaną twarzyczkę naszej najstarszej córki, kiedy pojęła, że może się dzielić jedzeniem z pieskiem!

2–3 lata

W wieku 2 i 3 lat dziecko nie tylko zaczyna być niezależne, ale jest już także świadome swojego Ja oraz uczuć innych osób. Zaczyna tworzyć obraz siebie. Niektóre dzieci bardzo chcą wypróbować wszystko na sobie, ale nie są jeszcze w stanie osiągnąć takiej autonomii, jaką chciałyby wywalczyć. Wsłuchując się w dziecko, rodzice mogą je wspierać w tym niezwykłym dążeniu do zrozumienia samego siebie i innych.

W pierwszym roku życia karmienie utrwaliło się jako najważniejsza forma interakcji między dzieckiem a jego rodzicami. Dzięki temu maluch dobrze wie, że pora jedzenia ma pierwszorzędne znaczenie. Jednak pory posiłków wkrótce staną się także czasem zabawy, która jest najważniejszym sposobem dziecka na zdobywanie wiedzy o świecie. Głód zostaje przesłonięty pasją odkrywcy, z jaką brzdąc wyrusza na poszukiwawcze ekspedycje. Rodzice często załamują ręce w obliczu zapału i determinacji, z jakimi dziecko wykorzystuje jedzenie i pory posiłków do zabawy i nauki. Mama i tata z równym zapałem i determinacją nalegają, żeby prawidłowo się odżywiało. Nie są jednak w stanie wygrać żadnej bitwy, jaką rozpoczną z dzieckiem na tym polu.

Zabawa jedzeniem

Dwulatek układa wieżę z kawałków pokrojonych warzyw, a potem ją przewraca, zaśmiecając cały pokój. Wydaje się, że robi to na złość rodzicom. Kiedy jeden po drugim zrzuca kawałki jedzenia na podłogę, im na pewno jest przykro, że pokarm nie trafił do jego buzi.

Trzylatek może zawołać rodziców, żeby pochwalić się „obrazkiem", jaki stworzył z pomarańczowej marchewki i zielonego groszku. Układając kawałki warzyw w rozmaite wzory, wymawia pierwsze słowa i daje dowód swojej wrażliwości na piękno kolorów. Wykorzystuje jedzenie, żeby sprawdzić nowe umiejętności. Niestety rodzice widzą w tym tylko popisywanie się i droczenie albo bałaganienie i marnowanie jedzenia. „Zadałam sobie dużo trudu, żeby mu ugotować marchewkę z fasolą. A on zamiast jeść, tylko się nimi bawi" – mama nie dostrzega, że te warzywa są dla dziecka atrakcyjne jeszcze z dwóch innych powodów: koloru i faktury.

Duchy znad kołyski

W wielu społeczeństwach jedzenie było w różnych momentach dziejów warunkiem przetrwania. Rodzice i dziadkowie, pragnąc przekazać naukę pokoleniom, które nigdy nie zaznały głodu, często napomykają dzieciom i wnukom o głodujących maluchach, które z wdzięcznością dokończyłyby to, co ich niejadki zostawiają na talerzach. Oczywiście nikt nie pakuje tych resztek i nie posyła ich głodnym dzieciom, których jest przecież wiele, i to niekoniecznie na drugim końcu świata. Dziecko czuje jednak wówczas presję rodziców, a ten ukryty przekaz może na długo zaburzyć jego stosunek do jedzenia i posiłków.

Moi rodzice należeli do drugiego pokolenia teksańskich osadników. Żyli w cieniu zmagań własnych rodziców, którzy na nowych ziemiach w surowych warunkach walczyli o przetrwanie i pracowali w pocie czoła, by zapewnić jedzenie swoim rodzinom. Żywność była zbyt cenna, by się nią bawić. Dobrze pamiętam groźną minę mamy, kiedy zostawiałem coś na talerzu lub odmawiałem jedzenia. Dużo później często łapałem się na tym, że przy własnych dzieciach nie potrafię wyzbyć się tych samych silnych emocji, które targały moją mamą. Kiedy wydawało mi się, że moje dzieci bawią się jedzeniem, musiałem włożyć sporo trudu w to, by powstrzymać się od komentarzy. Jednak nadal prześladowało mnie karcące spojrzenie mamy, jakie mi rzucała, gdy nie chciałem jeść.

Czy rodzice powinni ulegać maluchom i pozwalać im na zabawę jedzeniem? Moim zdaniem nie. Chociaż łatwiej to powiedzieć niż zrobić, to rodzice mogą dać dziecku jasno do zrozumienia, że podane mu potrawy służą do jedzenia, a nie do zabawy. Natomiast robienie z tego problemu może sprawić, że dziecko będzie się popisywać coraz większą kreatywnością na tym polu. Kiedy maluch zaczyna się bawić zawartością talerza i traci zainteresowanie jedzeniem, po prostu odsuńcie od niego talerz i powiedzcie: „To już koniec” albo „Wygląda na to, że się najadłeś. Smakowało ci?”. Następnie zabierzcie dziecko od stołu i pozwólcie mu się bawić. Jeżeli w łagodny, ale stanowczy sposób przerwiecie niepożądane zachowanie, będzie to o wiele skuteczniejsze niż krytykowanie i karanie. Dziecko w końcu zrozumie, że przyjemność, jaką jest siedzenie przy stole z całą rodziną, zależy od tego, czy nauczy się jeść tak jak reszta domowników. Będzie miało znacznie większą motywację do naśladowania manier dorosłych przy stole, jeżeli posiłki nie skojarzą mu się na zawsze z karą i przykrością.

W pewnym badaniu dzieciom w wieku poniemowlęcym pozwalano, żeby przez kilka miesięcy same wybierały sobie rodzaj pokarmu. Obserwatorzy skrupulatnie notowali ich wybory. Okazało się, że dzieci włączały do swego jadłospisu wszystkie składniki niezbędne do prawidłowego rozwoju. Pozostawienie takiego wyboru dwu-, trzy- czy nawet czterolatkom naprawdę nie jest łatwe. Będzie jednak zdecydowanie łatwiejsze, jeżeli zrozumiecie, że wasza kontrola ogranicza się teraz wyłącznie do rodzaju pokarmów, jakie oferujecie dziecku.

Zasady karmienia dwu- i trzylatków

1. W czasie karmienia dajcie dziecku jak najwięcej samodzielności. Jedzenie w towarzystwie osób, które rozkazują i nakazują, nie jest dla niego dobre.
2. Być może trzeba będzie karmić dziecko osobno – oczywiście nie całkiem samotnie, ale w takim miejscu i czasie, by jego sposób jedzenia i wybory nie skupiały uwagi wszystkich.
3. Jeżeli dziecko się rozprasza, kiedy siadacie przy nim, żeby mu towarzyszyć przy posiłku, odejdźcie od stołu i zajmijcie się czymś w kuchni, żeby maluch nie odczuwał nadmiernej presji w czasie jedzenia.
4. Kiedy dziecko będzie gotowe (mniej więcej w wieku 2 lat), siadajcie z nim przy stole, ale nie komentujcie tego, co i jak je. Jeżeli dotrzymujecie mu towarzystwa bez zbędnych uwag na temat jedzenia, szybko nauczy się z radością wyczekiwać posiłków, wiedząc, że będzie to dla wszystkich przyjemny, wspólnie spędzony czas.
5. Sadzajcie dziecko na bezpiecznym krzesełku i przypinajcie je szelkami.
6. Korzystajcie z kubeczka-niekapka, ale nie nalewajcie do niego zbyt dużo napoju. Dziecku na pewno zdarzy się coś rozlać.

7. Talerzyk malucha powinien być przytwierdzony do blatu przyssawką.

8. Nie przygotowujcie wymyślnych potraw specjalnie dla dziecka, jeżeli wiecie, że będzie wam przykro, gdy ono nie zechce ich jeść lub zacznie się nimi bawić.

9. Zaplanujcie posiłki tak, żeby na początku, kiedy dziecko jest jeszcze głodne, podawać mu pokarmy zawierające najważniejsze składniki odżywcze: produkty wysokobiałkowe (mięso, ser, jajka), warzywa i owoce oraz mleko z kubeczka. Chleb z pełnego ziarna, krakersy czy makaron, które również są ważne, często wydają się dziecku bardziej atrakcyjne, lepiej więc podać je później. Słodkości zachowajcie na deser.

10. Nadal podawajcie dziecku tylko po dwa kawałki jedzenia naraz. Dawajcie mu kolejne dwa, dopóki nie zacznie ich zrzucać na podłogę.

11. Nie spodziewajcie się, że maluch będzie dokładnie przeżuwał. W jego kupce znajdziecie zapewne całe niestrawione kawałki jedzenia. Nie martwcie się tym – dziecko przyswaja tyle, ile mu potrzeba.

12. Nie oczekujcie, że dziecko się ucieszy na widok nieznanych mu produktów. Dzieci w tym wieku często mają niechętny stosunek do nowości. Starajcie się raczej znaleźć sposoby uatrakcyjnienia znanych maluchowi dań.

13. Na naukę manier przy stole przyjdzie czas później, kiedy dziecko będzie miało 4–5 lat. Dlatego liczcie się z nieustającym bałaganem przy posiłkach.

14. Wypluwanie i rozrzucanie jedzenia jest czasami sposobem na nudę. Bądźcie na to przygotowani i zawczasu ustalcie, jakie granice wyznaczycie dziecku. Gdy maluch zacznie pluć jedzeniem, nie okazując zdenerwowania,

obojętnym tonem powiedzcie: „Koniec jedzenia" i zdejmijcie go z krzesełka.

15. Nie reagujcie, kiedy dziecko domaga się podjadania między posiłkami. Będzie to trudne, jeżeli uważacie, że na pewno się nie najadło. Nie ma potrzeby przejmować się pełnowartościową dietą, o ile tylko dziecko jest zdrowe i prawidłowo rośnie. Jeżeli będziecie się wystrzegać utarczek o jedzenie, to z czasem maluch zacznie jeść wszystko, czego potrzebuje jego organizm – o ile mu tego dostarczycie.

16. Nie wyładowujcie frustracji na dziecku, lepiej uderzcie pięścią w poduszkę lub zadzwońcie do znajomego, by rozładować gniew. W trudnych chwilach przy stole rodzice muszą się nawzajem wspierać.

Karmienie dwu- i trzylatków – częste pytania

■ Moja córeczka bardzo ociąga się przy jedzeniu. Może ze zwykłej przekory? Kiedy mam przerwać posiłek i zdjąć ją z krzesełka?

Niech maluch je w swoim tempie. Jeżeli czas posiłku wam się dłuży, zaplanujcie sobie jakieś zajęcie. W razie konieczności ustalcie granice czasowe i po ich przekroczeniu zabierzcie dziecko od stołu. Może dzięki temu następnym razem będzie miało większą motywację do jedzenia.

■ W jednym tygodniu mój maluch nie chce jeść zieleniny, w następnym żółtych warzyw. Czy mam się martwić, że jest taki wybredny?

Nie, skądże. Dziecko po prostu sprawdza swoją zdolność dokonywania wyborów. Rodzice mogą za tym nie nadążać, ale nie ma z czego robić dramatu. Maluchowi prawdopodobnie podoba się fakt, że może was lekko wodzić za nos. Proponuję dawać mu niewielki wybór zdrowych produktów przy każdym posiłku i w porze przekąsek, włączając coś, co prawie na pewno będzie mu smakowało. Wtedy dziecko może samo zdecydować. Jeżeli odrzuci wszystko, spokojnie wytłumaczcie mu: „Nic więcej nie mamy dzisiaj na kolację. Jeżeli to, co jest na stole, ci nie odpowiada, może jutro coś ci posmakuje". Powinno być jasne, że maluch nie będzie karany za niejedzenie. Posiłki są raczej okazją do obcowania ze sobą i wybierania z tego, co jest na stole. I kropka. Nie nadskakujcie dziecku i nie spełniajcie każdej jego zachcianki, chyba że chcecie je nauczyć, że może wami komenderować.

4–5 lat

Identyfikacja z dorosłymi

W wieku około 4 lat dziecko jest już świadome wpływu, jaki może wywierać na innych. Porównuje siebie z otaczającym je światem i pragnie być takie, jak dorośli, których podziwia. Ponieważ utożsamia się z dorosłymi i chętnie ich naśladuje, dojrzewa też do nauki właściwego zachowania przy stole. Oczywiście nie stanie się to od razu. Aby dziecko opanowało wszystkie zasady, trzeba dużo cierpliwości, praktyki, zachęty i wielokrotnego powtarzania. Przede wszystkim jednak maluch potrzebuje waszego dobrego przykładu, żeby naśladować poprawne zachowanie przy stole i zdrowe nawyki żywieniowe!

Naśladowanie

Obserwując, jak dziecko zachowuje się przy posiłkach, możecie ocenić efekty swojego przykładu. Maluch zaczyna trzymać łyżkę tak jak tatuś albo nabija warzywa na widelec jak mamusia. Siedzi wyprostowany, tak jak rodzice. Być może nawet zacznie jeść warzywa i spróbuje pokroić mięso. To wszystko jest na początku bardzo trudne. Mięso zsuwa się z talerza („Ojej! Tatusiu, pokroisz mi?"). Cena porażki jest wysoka, dziecko na chwilę się uwstecznia, potem zaczyna się droczyć. Specjalnie rozlewa mleko, strąca jarzyny z talerzyka, wybucha niepohamowaną złością. Mimo wszystko jednak próbowało sprostać przykładowi rodziców.

Następnym razem maluch posunie się trochę dalej w naśladowaniu starszych. Może też wybrać inny sposób – jego wzorem stanie się starsze rodzeństwo. Jeżeli starszy brat rozgrzebuje potrawy, maluch też to zrobi. Jeżeli siostra je zieleninę, on też spróbuje. Jeżeli rodzeństwo potrafi się już zachować przy stole, to wzoruje się na nim. Chwalcie dziecko za to, że się stara. Zamiast podkreślać i krytykować niedociągnięcia, podkreślajcie jego sukcesy. Zaproponujcie, że pokroicie mu jedzenie, ale jeżeli chce poradzić sobie samo, uszanujcie to. Jeśli idzie mu niezdarnie, następnym razem pokrójcie jedzenie w kuchni przed podaniem.

Grymaszenie i odmowa jedzenia

W tym wieku dziecko przyzwyczaja się do jedzenia tak, jak reszta rodziny – zjada już warzywa, częściej używa sztućców niż paluszków, korzysta z serwetki, a nie ze śliniaczka, zachowuje się poprawnie, siedzi w podwyższanym krzesełku. Jednocześnie jednak wchodzi w etap buntu: „Nie będę pił mleka – chcę sok", „Nie jem tego, zaczekam na deser". Zjada tylko zielone warzywa albo dla odmiany żółte lub czerwone, a po kilku dniach krzywi się na wszystkie. Cztero- lub pięciolatek często grymasi, odmawia jedzenia, znowu zaczyna jeść palcami, żeby podkreślić swoją niezależność albo rozładować jakiś wewnętrzny konflikt. Pamiętajcie o tym i nie naciskajcie za mocno, co najwyżej powiedzcie obojętnym tonem: „Widzę, że już nie zjesz tej fasolki. Dobrze, jutro dostaniesz coś innego".

Jak zaradzić takim sytuacjom? Proponowałbym, żebyście po prostu ignorowali dziecięce zaproszenia do próby sił – na tyle, na ile jest to możliwe. Jeżeli humory dziecka dominują przy wspólnym posiłku, być może trzeba je poprosić, by odeszło od stołu – do czasu następnego posiłku. Najlepszym sposobem na zdyscyplinowanie malucha, który w tym wieku stroi fochy przy jedzeniu, jest po prostu niezwracanie nań uwagi.

Ograniczcie swobodę wyboru: „Sok dostaniesz rano, a mleko przy każdym posiłku". Nie przejmujcie się zbytnio tym, że maluch wciąż chce jeść swoje ulubione potrawy, niech je, o ile nie jest to coś niezdrowego. Dzieci w tym wieku zwykle nie są zainteresowane odmianą ani próbowaniem nowych potraw. Na tym etapie głównym zadaniem jest nauka poprawnego zachowania przy stole, poczynając od siedzenia spokojnie poprzez używanie wszystkich sztućców, jedzenie i picie bez rozlewania aż po uczestniczenie w rozmowie.

Niezdrowe jedzenie nie powinno mieć wstępu do waszego domu. Wymówka: „Ale inne dzieci to jedzą" nie tłumaczy podawania niezdrowej żywności. Trzymajcie się twardo swojego stanowiska i odpowiedzcie: „Nie ma sprawy. Możesz to wszystko jeść, kiedy będziesz w odwiedzinach u kolegi". Nie ma powodu robić problemu z tego, że wasze dziecko czasami spróbuje frytek czy hamburgera w domu zaprzyjaźnionego malucha – im bardziej zakazujecie mu jedzenia takich potraw, tym atrakcyjniejsze mu się wydają. Z czasem może nawet wasza pociecha zacznie być dumna ze swoich zdrowych wyborów i wyrobionego smaku. Przede wszystkim jednak nauczy się doceniać potrawy jedzone w waszym domu, widząc, jak spożywają je rodzice.

Odmowa jedzenia może być sposobem cztero- i pięciolatków na zamanifestowanie niezależności. Objadanie się, wybrzydzanie, pozorne uzależnienie od jakiegoś pokarmu i niechęć do innego są w tym wieku powszechne. Zwracanie na siebie uwagi przy stole i wciąganie rodzeństwa w kłótnie także są przejawami dążenia do autonomii.

Powinniście zawczasu ustalić, jak będziecie traktować deser. Jeżeli otrzymują go tylko te dzieci, które wszystko ładnie zjadły, to jedzenie staje się nagrodą za dobre zachowanie, a nie źródłem składników odżywczych i przyjemnością. Łatwiej jest rozwinąć u dziecka zdrowy stosunek do jedzenia i uniknąć utarczek, jeżeli deser dostają wszyscy bez wyjątku. Podaje się go po jedzeniu i powinien on być tylko tym, czym jest – zwieńczeniem posiłku, a nie nagrodą dla wybranych. Deser, szczególnie bardzo słodki i obfity (jak np. ciasto z kremem), może przeszkadzać dziecku w skupieniu się na reszcie posiłku – chyba że będzie niespodzianką. Postarajcie się też, żeby nie był zbyt ekscytujący dla malucha i miał wartość odżywczą, aby zrekompensował potrawy odrzucone przez dziecko, które chciało „zostawić miejsce" na deser. Rozsądne propozycje to owoce, mus jabłkowy, jogurt i ciasteczka owsiane z orzechami i rodzynkami.

Rodzice mówią czasami: „Jeżeli nie zamierzasz skończysz tego, co masz na talerzu, możesz już odejść od stołu. Deser? O nie, dopiero jak wszyscy zjedzą obiad". Pamiętajcie jednak, że jedzenie może łatwo stracić wartość w oczach dziecka w konfrontacji z jego potrzebą samostanowienia. W tym wieku maluch zrobi wszystko, żeby nie ustąpić i zachować twarz. Powinniście to uszanować.

Powody do obaw

Jeżeli dziecko przez dłuższy czas odmawia zjadania czegokolwiek prócz wybranych potraw, może to być oznaką wołania o pomoc. Powinniście poważnie się zastanowić, co się za tym kryje. Przede wszystkim nasuwa się pytanie, czy dziecko nie jest chore. Obserwujcie, czy nie wystąpią jakieś inne objawy. Zważcie malucha, żeby sprawdzić, czy jego ogólny stan jest dobry. Idźcie do lekarza lub poradźcie się pielęgniarki, żeby wykluczyć przyczyny zdrowotne. Dziecko może potrzebować diagnozy psychologicznej, która i jemu, i rodzicom pomoże zrozumieć głębsze przyczyny takiego zachowania (zob. rozdział 3).

Posiłki jako czas dla rodziny

W zapracowanych rodzinach domownicy zbierają się razem głównie podczas śniadań, obiadów i posiłków w dni wolne. Jeżeli w trakcie tych nielicznych wspólnych chwil stosujecie wobec dziecka przymus, żeby zjadło wszystko, co ma na talerzu, możecie skutecznie zniechęcić je do posiłków w gronie rodzinnym, a nawet do jedzenia w ogóle. Zadbajcie o to, żeby wspólny posiłek był okazją do swobodnych rozmów, a nie wywierania presji i wymierzania kar.

Posiłki w gronie rodzinnym mogą dziecko wiele nauczyć, na przykład rozpoznawania oznak głodu i sytości, szacunku dla wysiłku włożonego w przygotowanie potraw i czerpania przyjemności ze wspólnego ich spożywania. Dzielenie się jedzeniem i myślami, wspólne rozmowy i poznawanie tradycyjnych zwyczajów to dla każdego dziecka niezapomniane przeżycia. Jeżeli wcześnie wprowadzicie ten zwyczaj, to rodzinne posiłki, niczym nie przerywane i spożywane w atmosferze wolnej od presji z zewnątrz, staną się doskonałą okazją do porozumienia i okazywania sobie uczuć.

Rozdział 3

Problemy
z karmieniem

Alergie pokarmowe

Okres niemowlęcy to najlepsza pora na rozpoznanie reakcji alergicznych na rozmaite składniki pokarmowe. W tym okresie jest to znacznie łatwiejsze, ponieważ możemy ostrożnie wprowadzać pokarmy jeden po drugim. Wysypka skórna – często pojawiająca się najpierw na twarzy lub w zagięciach rąk, nóg i szyi – która następnie przechodzi w suchy, szorstki, łuszczący się wyprysk (zwany też egzemą lub atopowym zapaleniem skóry), jest wyraźnym objawem reakcji uczuleniowej. Nigdy nie lekceważcie takiej wysypki u dziecka.

Uczulenie na mleko krowie może wystąpić, jeszcze zanim wprowadzicie do jadłospisu dziecka pokarm stały, najczęściej między czwartym a szóstym miesiącem życia. Alergie mogą się też uwidocznić wraz z wprowadzeniem pokarmów stałych. Zacznijcie od podawania każdorazowo tylko jednego nowego pokarmu, żeby w razie wystąpienia reakcji alergicznej (np. wysypki) wiedzieć, który składnik pożywienia ją spowodował. Najpierw spróbujcie podać jednozbożową kaszkę – najlepiej ryżową. Nie podawajcie tak małemu dziecku kaszek ze zbóż mieszanych. Obserwujcie malucha przez dwa tygodnie, zanim podacie kolejny pokarm stały. Tym razem może to być jeden gatunek owoców lub warzyw. Uważnie czytajcie etykiety na gotowych odżywkach dla niemowląt, żeby się upewnić, czy nie zawierają żadnych innych składników lub dodatków. Z pszenicą poczekajcie do ukończenia przez dziecko 7 miesięcy, wtedy możecie mu dać skórkę chleba do potrzymania i żucia. Żółtko jaja kurzego podaje się dopiero w dziesiątym miesiącu, a białko jeszcze później – gdy dziecko skończy roczek. Wprowadzone zbyt wcześnie pszenica i jajka częściej wywołują reakcje alergiczne. Jeżeli zajdzie potrzeba wykluczenia z diety dziecka jakichś podstawowych produktów, skonsultujcie się z lekarzem i poproście o przepisanie preparatów z witaminami i składnikami mineralnymi (przede wszystkim żelazo i witamina D). Pediatra pomoże opracować pełnowartościową dietę dla dziecka. Doradzi też, czy i kiedy (czasami w wieku 12 lub 24 miesięcy) można jeszcze raz spróbować podawania pewnych produktów, żeby sprawdzić, czy dziecko wyrosło z alergii.

Uczulenie na orzeszki ziemne (arachidowe) może utrzymać się przez całe życie i być przyczyną szczególnie ostrych reakcji organizmu. Orzechy arachidowe i masło orzechowe nigdy nie są bezpieczne dla dzieci poniżej trzeciego roku życia, ponieważ mogą spowodować zadławienie.

Inne produkty z orzechów ziemnych, jak olej arachidowy występujący w wielu artykułach żywnościowych, mogą zwiększać ryzyko alergii, jeżeli dziecko zacznie je spożywać, zanim skończy 3 lata.

Jeżeli w ciągu dwóch tygodni od podania nowego pokarmu u dziecka wystąpi reakcja alergiczna, wykluczcie ten produkt z diety. Notujcie wszystkie pokarmy, które spowodowały reakcję uczuleniową. W późniejszym okresie, jeśli u malucha wystąpi egzema lub astma, trzeba będzie uważać na wszystkie składniki alergizujące w pożywieniu. W połączeniu z innymi obciążeniami dla organizmu dziecka, na przykład silnym przeziębieniem czy wysokim stężeniem pyłków w powietrzu, mogą one wywołać ostry atak astmy.

Jeżeli zdołacie wyeliminować pokarmy, które spowodowały tylko łagodną alergię, ten skumulowany efekt może nie wystąpić. Od najwcześniejszych dni, kiedy jadłospis dziecka nie jest jeszcze zbyt złożony, musicie zwracać uwagę na te reakcje. Powinniście unikać wszelkiego rodzaju dodatków spożywczych, a także mieszania różnych pokarmów, jeśli bowiem reakcja uczuleniowa wystąpi, trudniej będzie stwierdzić, który produkt za nią odpowiada.

Zdaniem wielu specjalistów niektóre produkty (np. zawierające gluten) lub dodatki spożywcze, na które dziecko może być nadwrażliwe, przyczyniają się do nadaktywności i innych objawów przypominających zespół nadpobudliwości psychoruchowej z deficytem uwagi (ADHD). Maluch może zatem mieć nieujawnioną jeszcze skłonność to tego typu zaburzeń.

Butelka przed snem

Wiele dzieci potrzebuje przytulanki, miękkiego przedmiotu do potrzymania, który mógłby im zastąpić rodziców na czas rozłąki, na przykład kiedy wieczorem kładą się spać. Niektóre maluchy przyzwyczajają się do używania w tym celu piersi czy butelki i zasypiają przyssane do matki lub ze smoczkiem w buzi. Łatwo wytworzyć ten wygodny, ale niepożądany nawyk.

Mleko zalegające w buzi dziecka może powodować próchnicę zębów mlecznych, a nawet zwiększyć ryzyko wystąpienia próchnicy zębów stałych w przyszłości. Nigdy nie kładźcie dziecka spać z butelką wypełnioną mlekiem, sokiem czy czymś innym poza wodą. Jeżeli karmicie je przed położeniem go do łóżeczka, niech wcześniej zawsze popije mleko wodą. Maluch, który w ciągu dnia spożywa odpowiednią do wieku ilość mleka, nie potrzebuje wieczornej butelki dla celów odżywczych. Używa jej głównie po to, żeby się wyciszyć. Jeżeli butelka służy mu nocą za przytulankę, zostawcie mu ją pustą lub wypełnioną wodą. W czasie karmienia butelką dajcie dziecku do rączek misia albo kocyk, żeby mogło się nimi pobawić. Od butelki odzwyczajajcie stopniowo. Po jakimś czasie maluchowi wystarczy do uspokojenia sam pluszak.

Zadławienia

Zadławienia są najczęstszą przyczyną zgonów niemowląt i małych dzieci. Jest wiele metod zapobiegania takim wypadkom, a rodziców można przygotowywać do udzielenia pomocy.

Niebezpieczne pokarmy

Dzieci do lat 3 są zagrożone zadławieniem drobnymi przedmiotami i kawałkami jedzenia. Pewnych pokarmów, które stwarzają szczególnie duże zagrożenie, należy unikać. Są to albo produkty małe, twarde i okrągłe, które mogą zablokować wąską tchawicę dziecka, albo półpłynne lub bardzo gęste i kleiste, które mogą utknąć w jego przewodzie pokarmowym. Do trzeciego roku życia nie podawajcie maluchowi twardych cukierków, gumy do żucia, orzechów arachidowych i innych, owoców z pestkami i dużymi ziarenkami (np. czereśni, wiśni, arbuzów) – chyba że je wcześniej usuniecie, surowej marchwi i selera, masła orzechowego, nierozdrobnionych kawałków mięsa czy parówek. Możecie też zmniejszyć ryzyko zadławienia, karmiąc dziecko siedzące wygodnie w prawidłowej pozycji, a nie biegające po domu.

Jak postępować w razie zadławienia

Zanim dziecku przydarzy się jakaś niemiła przygoda, zapoznajcie się z zasadami udzielania pierwszej pomocy dzieciom i niemowlętom. Warto też zapisać się na kurs pierwszej pomocy organizowany przez Czerwony Krzyż lub miejscowe placówki ochrony zdrowia. Wszyscy rodzice niemowląt powinni zaopatrzyć się w instrukcje pierwszej pomocy przy zadławieniach i trzymać je pod ręką. W razie wypadku taka wiedza będzie bardzo przydatna.

Jeżeli dziecko kaszle i jest w stanie samo odkrztusić blokujący tchawicę pokarm lub ciało obce, pomóżcie mu w tym. Jeżeli nie może odkaszlnąć i ma problemy z oddychaniem, ale jest przytomne, wykonajcie opisane czynności. W przypadku niemowlęcia poniżej roku – połóżcie je brzuszkiem do dołu na swoim przedramieniu, z głową poniżej tułowia, podpierając mocno dłonią jego główkę i kark. Jeżeli dziecko dużo waży, oprzyjcie ramię na kolanach. Nasadą drugiej dłoni uderzcie je 4–5 razy między łopatkami. Jeżeli nadal nie będzie mogło wykrztusić ciała obcego, ułóżcie wolną rękę i dłoń wzdłuż pleców niemowlęcia i przewróćcie je na wznak, podtrzymując jego głowę i kark, cały czas uważając, żeby główka znajdowała się poniżej pośladków. Następnie uciśnijcie pierś niemowlęcia tuż poniżej linii sutków (nie w samej dolnej części mostka). Czynność tę powtórzcie do pięciu razy, używając dwóch lub trzech palców. Na przemian wykonujcie uderzenia w plecy i uciskanie mostka, dopóki dziecko nie pozbędzie się ciała obcego lub kawałka pokarmu.

Jeżeli stwierdzicie, że dziecko jest nieprzytomne lub nie oddycha, spróbujcie je łagodnie ocucić, poklepując je po ramieniu. W przypadku gdy maluch nie reaguje, zawołajcie kogoś, żeby wezwał pogotowie; wy zostańcie przy dziecku. Jeżeli w pobliżu nie ma nikogo, wykonajcie telefon, ale dziecko trzymajcie przy sobie. Następnie rozpocznijcie resuscytację.

W przypadku dziecka powyżej roku życia, które jest przytomne, ale nie może mówić ani odkaszlnąć, najpierw zastosujcie manewr Heimlicha[12] (nie zaleca się tego w przypadku niemowląt poniżej roku). Jeżeli dziecko wydaje się nieprzytomne po delikatnym poklepaniu i potrząśnięciu za ramię, natychmiast zadzwońcie po pomoc, zostańcie przy maluchu i rozpocznijcie procedurę resuscytacji. Po odpowiednim ułożeniu dziecka przeprowadza się uciskanie klatki piersiowej na przemian z oddechami ratowniczymi; w przypadku nieprzytomnych dzieci kolejnym krokiem w pierwszej pomocy jest manewr Heimlicha.

Słaby przyrost masy ciała

Czym jest słaby przyrost masy ciała?

Jest to poważny, ale często spotykany nieprawidłowy stan, który może wystąpić w pierwszym roku życia. Dzieci o słabym przyroście masy ciała na siatce centylowej mieszczą się poniżej 5 centyla pod względem odpowiedniej do wieku wagi lub bardzo słabo przybierają na wadze. Jeżeli dziecko nie będzie odpowiednio wcześnie i skutecznie leczone, mogą u niego wystąpić opóźnienia w rozwoju, a niedobory żywieniowe mogą zaburzyć rozwój ośrodkowego układu nerwowego.

---

[12] Wskazówki i linki do filmu instruktażowego na temat udzielania pierwszej pomocy zakrztuszonemu dziecku są dostępne na: www.parentsaction.org (przyp. red.).

Przyczyny słabego przyrostu masy ciała

„Słaby przyrost masy ciała" to bardzo ogólny termin odnoszący się do niemowląt i małych dzieci, które nie jedzą i nie wzrastają prawidłowo. Można wyliczyć wiele przyczyn takiego stanu. Niektóre dzieci pozornie odpowiednio odżywiane nie przybierają na wadze tak, jak powinny. Możliwe, że kryje się za tym jakieś schorzenie lub zaburzenie, które utrudnia przyswajanie składników odżywczych przez układ pokarmowy. Czasami przyczyną tego stanu są infekcje. Wiele chorób (rzadko występujących) może spowalniać prawidłowe wzrastanie organizmu, między innymi mukowiscydoza (zwłóknienie torbielowate), niedokrwistość sierpowata, niedoczynność tarczycy, wady serca czy choroby nerek.

Niektóre dzieci nie przybierają na wadze zgodnie z normą, ponieważ po prostu za mało jedzą. Może to być spowodowane nadwrażliwością na smaki i wrażenia dotykowe w jamie ustnej lub zbyt silnym odruchem wymiotnym, który sprawia, że maluchy krztuszą się pokarmem i całkowicie zrażają do jedzenia. Przyczyną może też być słaba koordynacja mięśni języka i gardła, konieczna do skutecznego połykania, lub refluks żołądkowo-przełykowy, o którym będzie mowa w dalszej części tego rozdziału.

Za słabe jedzenie dziecka mogą też odpowiadać przyczyny natury psychicznej. Relacje między rodzicami a dzieckiem mają silny związek z trudnościami malucha z jedzeniem. Chociaż dorośli są skłonni obwiniać przede wszystkim siebie, na ogół nie ma w tym niczyjej winy. Problemy z jedzeniem mogą być rezultatem choroby, której rodzice są początkowo nieświadomi. Na przykład niemowlę z refluksem trwale kojarzy karmienie z bólem spowodowanym działaniem kwasu żołądkowego na przełyk i strachem przed zakrztuszeniem. Odtrąca butelkę, żeby uniknąć przykrego doznania. Dodatkowo stresuje je napięcie rodziców, którzy chcąc je nakarmić za wszelką cenę, w desperacji wmuszają mu jedzenie na siłę. W ten sposób powstaje błędne koło, a dziecko jeszcze rozpaczliwiej broni się przed jedzeniem. W takiej sytuacji powinniście we współpracy z pediatrą dołożyć wszelkich starań, by rozładować napięcie i umożliwić maluchowi prawidłowy rozwój.

Ponieważ niedobór masy ciała może mieć przyczyny natury medycznej, takie jak słabe przyswajanie lub refluks, konieczne jest badanie lekarskie. Pediatra sprawdzi, czy dziecko nie ma infekcji lub zespołu złego wchłaniania, poszuka też innych źródeł problemu. Może skierować je do szpitala na kilkudniową obserwację. Jeżeli badania nie wykażą przyczyny niedożywienia i niedoboru masy ciała, powinniście rozważyć z lekarzem możliwość, że malec cierpi na jedną z rzadziej występujących chorób, wspomnianych wcześniej.

Leczenie słabego przyrostu masy ciała zależy od rozpoznanej przyczyny. Czasami kłopoty z przełykaniem i nadwrażliwość jamy ustnej są dyskretne i trudne do wykrycia. Zdarza się, że lęk dziecka i rodziców zaczyna żyć własnym życiem, powodując poważne przeszkody w karmieniu. Często konieczna jest współpraca całego zespołu specjalistów – pediatry (w niektórych wypadkach gastroenterologa dziecięcego), dietetyka, logopedy dobrze znającego się na tym, jaką rolę w tym zaburzeniu odgrywają mięśnie gardła i jamy ustnej, a także specjalisty w zakresie zdrowia psychicznego (psychologa, psychiatry dziecięcego). Pomogą oni rodzinie przełamać niezdrowe schematy dotyczące karmienia. Rodzice powinni poszukać informacji na temat specjalnych metod odżywiania swojego dziecka i bacznie obserwować, czy w interakcjach przy karmieniu zachodzi pożądana zmiana na lepsze.

Rola ojca w karmieniu dziecka

Kiedy matki troskliwie karmią maleńkie dzieci, ojcowie siłą rzeczy czują się pominięci i odtrąceni. Należy docenić fakt, że pragną oni zajmować ważne miejsce w życiu swoich potomków, chociaż to pragnienie może ich wprawiać w zakłopotanie. Prawdopodobnie nie zdają sobie sprawy z tego, że kiedy byli dziećmi, ich ojcowie mieli podobne odczucia. Dla wielu mężczyzn tęsknota za opieką ojca i pragnienie zajmowania się swoimi dziećmi to niełatwy temat.

Z czasem zaczęliśmy doceniać pozytywny wpływ zaangażowanych, troskliwych ojców na rozwój maluchów oraz uznawać ich potrzebę więzi emocjonalnej z dzieckiem i jego pielęgnowania. Podobnie jak kobiety z trudem zdobywały niezależność na rynku pracy, tak mężczyźni obecnie przyjmują bardziej aktywną rolę w opiece nad maluchami. Dzisiaj nikt już nie kpi z troskliwych ojców, darzymy ich coraz większym szacunkiem za wkład w pielęgnowanie i wychowanie niemowląt i dzieci. Mimo to większość z nich nadal pełni tylko drugorzędną rolę, jeśli chodzi o przygotowanie posiłków i karmienie.

Według mnie każdy tato może i powinien zaangażować się w karmienie już od pierwszego razu. Jeżeli mama stara się uregulować laktację, oczywiście nie powinien podawać maluchowi butelki. Niemniej od samego początku może uczestniczyć w karmieniu, na przykład w nocy przynosząc mamie dziecko lub podkładając poduszki, żeby wygodniej się usadowiła. Mniej więcej w trzecim tygodniu życia dziecka, kiedy piersi kobiety wytwarzają już odpowiednią ilość pokarmu, tato może zacząć karmić niemowlę z butelki (wypełnionej ściągniętym mlekiem mamy lub mieszanką dla niemowląt), najlepiej w nocy, kiedy mama wypoczywa. Odwlekanie tego dłużej (do 4–6 tygodnia) może sprawić, że maluch w ogóle nie zechce zaakceptować butelki.

Ojcowie, którzy karmią pierwszy raz, często czują się onieśmieleni i niezdarni. Podobnie jest z dzieckiem. Maluszek przywykł już być może do pewnego wysiłku potrzebnego do ssania piersi (mleko znacznie łatwiej wypływa z butelki). Pijąc z butelki, hałaśliwie przełyka pokarm, zapowietrzając się przy tym. Rozsądny tata, słysząc, jak łapczywie maluch je, powinien się przygotować na to, że dziecku będzie się porządnie odbijać. Ostrożnie przytrzymując niemowlę, powinien pozwolić mu odbić w połowie karmienia, ponieważ połknięte powietrze może spowodować nagłe ulanie się mleka. Po karmieniu powinien ułożyć dziecko podparte pod kątem 30 stopni na jakieś 15–20 minut, po czym jeszcze raz podnieś je do odbicia. Dzięki temu więcej pokarmu zostanie w brzuszku.

Początkującego tatę trzeba chronić przed komentarzami obserwatorów: „Tak się nie trzyma dziecka! Jak ty go karmisz, na Boga!". Wszyscy wokół palą się do poprawiania młodego ojca. On powinien być stanowczy i próbować robić wszystko po swojemu. Przecież to także jego dziecko! Eksperymentując, stopniowo nauczy się wszystkiego.

Poznawanie własnego dziecka jest procesem długim, pełnym prób i błędów. Na drodze do dobrego rodzicielstwa pomyłki są nieuniknione. Dużo szczęścia mają niemowlęta, których ojcowie chcą je dobrze poznać i regularnie karmić. Najlepiej robić to w bujanym fotelu. Przed karmieniem i po jego zakończeniu tata powinien przytulić dziecko, potem położyć je sobie na kolanach, żeby móc je podziwiać i przemawiać do niego. Dzięki temu maluszek będzie miał okazję lepiej poznać swojego tatę.

Już dwutygodniowe maleństwo woli twarz i głos ojca od twarzy i głosów innych mężczyzn. Pracuje nad tym, żeby go lepiej poznać. Kiedy skończy dwa miesiące, tata stanie się w jego życiu ważną, wyjątkową osobą. Powinien więc karmić dziecko regularnie, żeby nauczyło się rozpoznawać jego zapach, dotyk, sposób, w jaki je trzyma, oraz ton, jakim do niego przemawia podczas karmienia.

Wkład ojca w karmienie

1. Tata jest często bardziej skłonny do żartów i igraszek w porze posiłków. Lubi mówić: „Wcinaj, smyku! Wyciągnij buzię do łyżeczki" albo (celując łyżką do ust malucha): „Leci, leci samolocik!".

2. Może trzymać łyżkę inaczej niż mama, dzięki czemu dziecko nauczy się dwóch różnych sposobów przyjmowania i przełykania pokarmów stałych.
3. Poda dziecku kubek, a sam jednocześnie skorzysta z drugiego, żeby maluch mógł się na nim wzorować.
4. Nie będzie się tak jak mama przesadnie troszczył o to, ile dziecko zjadło. Dzięki temu presja wywierana na malucha w czasie posiłku będzie mniejsza.
5. Kiedy dziecko siedzi przy wspólnym stole, tata wciąga je w żartobliwą rozmowę na ciekawe tematy: „A czy wiesz, co jedzą tygrysy?".
6. Dziecku, któremu podczas posiłku towarzyszy troskliwy ojciec, rośnie samoocena: „Jestem kimś ważnym dla tatusia, więc jestem ważny w ogóle!".

Tato powinien aktywnie uczestniczyć we wszystkich momentach przełomowych związanych z karmieniem. Odciążaj żonę, biorąc na siebie część obowiązków. Zachęcaj ją do mówienia ci o swoich odczuciach związanych z tym, że dzieli się z tobą dzieckiem. Maluch może tylko skorzystać na tym, że rodzice dzielą się obowiązkami i wspólnie o niego troszczą. Dzięki temu nawiąże silniejszą więź z obojgiem.

Zakupy i gotowanie z dziećmi

Na zakupach spożywczych z rodzicami dziecko może się bardzo wiele nauczyć. Jest to świetna okazja do opowiadania o zwyczajach panujących w rodzinie i waszej kulturze („W naszej rodzinie w piątek nie jemy mięsa"). Na zakupach możecie uczyć malucha nazywania kolorów (pokazując owoce i warzywa) i liczenia („Ile ciasteczek kupimy? Raz, dwa, trzy..."), a nawet przygotować go do nauki czytania. Kiedy czytacie etykiety, żeby dokonać wyboru towaru, obserwujące was dziecko poznaje siłę słowa pisanego. Dowiaduje się także, że dbacie o jakość tego, co je wasza rodzina.

Wizyta w sklepie jest także dobrą okazją, by zrównoważyć wpływ reklam niezdrowej żywności, nie poprzez jej krytykowanie, ale wzbudzanie zainteresowania zdrowymi produktami („Możemy ci zrobić pyszną kanapkę z tego świeżego pełnoziarnistego chlebka", „Jeżeli kupimy groszek w strączkach i razem go wyłuskamy, taki świeży będzie smakował lepiej niż z puszki czy mrożonki"). Pozwólcie dziecku porównać te smaki.

Kiedy idziecie na rynek, prośćie dziecko, żeby pomogło wam wybierać produkty: „Znajdź mi jak najładniejsze pomidory". To dobra okazja, by mu wyjaśnić, dlaczego pewne artykuły żywnościowe są lepsze dla zdrowia i co dobrego nam dają. Nie traktujcie tego jednak ze śmiertelną powagą i nie nadużywajcie cierpliwości dziecka. Inaczej jedzenie stanie się zbytnim obciążeniem, zamiast przyjemnością. Liczcie się z tym, że dziecko będzie chciało wyjść ze sklepu dużo szybciej. Zabierzcie ze sobą małą zabawkę lub książeczkę, żeby mogło się nią zająć, kiedy wy będziecie kończyć zakupy.

Nie kupujcie słodyczy przy kasie, żeby uciszyć czy przekupić marudzące dziecko. Jeżeli raz to zrobicie, maluch zawsze będzie się ich domagał. W ten sposób przekazujecie mu: „Jak będziesz chciał cukierka czy batona, zacznij wyć albo dostań ataku furii. Tym razem poskutkowało". Dziecko powinno wiedzieć, że kupowanie jedzenia to coś, co trzeba robić regularnie, a wy potrzebujecie jego pomocy i od czasu do czasu będziecie korzystać z jego rad. Pozwólcie mu nosić mały portfelik z drobnymi i samodzielnie kupować przy kasie owoce lub krakersy. Dzięki temu pozna wartość pieniędzy, a w wieku 4–5 lat nauczy się liczyć drobne.

Po zakupach spróbujcie zainteresować dziecko wspólnym przygotowaniem posiłku. Starszemu możecie pokazać, jak się przewraca naleśniki na patelni (zaznaczcie, że nie może stawać przy kuchni, jeżeli was nie ma w pobliżu). Pozwólcie maluchowi odmierzać składniki z ulubionego przepisu, rozrywać liście sałaty lub kroić banany (może to zrobić tępym nożem, którym się nie skaleczy). Wcześnie zacznijcie angażować dziecko w przygotowywanie posiłków – kiedy skończy 2 lata, może pomagać przy prostych, bezpiecznych czynnościach. Pozwólcie mu też pomagać przy nakrywaniu do stołu. Może zbierać naczynia i sztućce (na początek używajcie plastikowych talerzyków i kubków). Dzięki temu dziecko włączy się w codzienne rodzinne prace domowe i będzie dumne ze swoich nowych umiejętności.

Jedzenie może łączyć rodzinę. Jeżeli dziecko uczestniczy w przygotowywaniu posiłków od pierwszych lat życia, odczuwa dużą satysfakcję ze współpracy z resztą domowników.

Odmowa jedzenia

Odmowa jedzenia może przybrać formę strajku głodowego, który trwa kilka dni lub nawraca od czasu do czasu. Bywa, że dziecko przy każdym posiłku odmawia jedzenia pewnych produktów – albo zawsze tych samych, albo za każdym razem innych. Czasami odsuwa, chowa lub rozrzuca jedzenie – zrobi wszystko, żeby nic nie zjeść. To bardzo denerwuje rodziców, którzy wiedzą, że jednym z ich najważniejszych obowiązków jest właściwe odżywianie malucha.

To do dziecka należy wybór, co zje. Jednak grunt pod jego wybory przygotowują rodzice poprzez stawianie na stole odpowiednich potraw oraz własne nawyki żywieniowe, które służą malcowi za wzór. Wprawdzie to oni decydują, ile jakich produktów dostarczyć dziecku przy każdym posiłku, nie mogą jednak zmusić go do jedzenia. To, co maluch wybierze i ile zje, musi leżeć całkowicie w jego gestii. Najlepsze, co możecie zrobić, to stać z boku, kiedy wasza pociecha będzie podejmowała własne decyzje.

Chociaż odmowa jedzenia najczęściej jest spowodowana tym, że dziecko pragnie sprzeciwić się presji wywieranej przez rodziców, czasami przyczyny są inne. Można tu wskazać nadwrażliwość na pewne smaki i konsystencje, silny odruch wymiotny, problemy z przełykaniem prowadzące do zakrztuszeń, a także choroby przewodu pokarmowego, które sprawiają, że jedzenie kojarzy się dziecku z bólem. Wszystkie jego negatywne doświadczenia w tym zakresie, zwłaszcza te bardzo przykre lub uporczywie się powtarzające, mogą w końcu spowodować uraz do jedzenia i posiłków, o czym będzie mowa dalej w tym rozdziale.

To normalne, że dziecko buntuje się przeciwko rodzicielskiej presji na jedzenie. Presja ta może być jawna lub subtelnie ukryta. Czasami rodzice nie są nawet świadomi, że wywierają nacisk. Zresztą niezależnie od tego, czy robią to z rozmysłem czy nie, zmuszanie nigdy nie przyniesie dobrych skutków. Zastanówcie się nad swoimi duchami znad kołyski dotyczącymi jedzenia i posiłków. Musicie się uporać z tymi wspomnieniami, nie wciągając w to dziecka. Inaczej na własne życzenie staniecie się głównym powodem jego niespodziewanego buntu. „Zjedz warzywa, chociaż trochę, zobaczysz, że będą ci smakować", „Popatrz, jak mamusia ładnie je. Jeśli będziesz jadła to co ja, też urośniesz taka duża", „Dokończ wszystko, żeby nic nie zostało na talerzu!" – takie namowy są zupełnie niepotrzebne i nieskuteczne, lepiej z nich zrezygnować.

W okresach szczególnej skłonności do buntu i przekory (na przykład pod koniec drugiego i w trzecim roku życia) podczas posiłków musicie wykazać się tolerancją. Jeżeli będziecie cierpliwi, to w wieku 4 lat dziecko zacznie się na was wzorować, jeśli chodzi o zachowanie przy stole, nawyki żywieniowe i urozmaicony jadłospis.

Odruch wymiotny i problemy z przełykaniem

Wszystkie dzieci mają odruch wymiotny, kiedy w wieku 4–6 miesięcy po raz pierwszy wprowadza się pokarmy stałe. Większość początkowo odpycha łyżkę językiem, ponieważ w tym wieku działa jeszcze tak zwany odruch wypychania języka. Jeśli powtarza się to przez kilka kolejnych dni, być może maluch próbuje w ten sposób przekazać, że jest jeszcze za wcześnie na podawanie mu pokarmów stałych. Ponówcie próbę po około tygodniu, żeby sprawdzić, czy wspomniany odruch zaczyna zanikać.

Niektóre dzieci jednak mają odruch wymiotny i ulewają pokarm nawet wcześniej, przy wprowadzaniu butelki. Odruch ten może być wyjątkowo silny, zdarza się też, że praca mięśni biorących udział w przełykaniu jest jeszcze niedostatecznie skoordynowana. Na mechanizm ssania składają się trzy elementy:

- praca języka w przedniej części jamy ustnej (chłeptanie);
- ruchy ssące tylnej części języka;
- wciąganie pokarmu do gardła.

Jednak u wielu dzieci te trzy różne czynności nie są jeszcze ze sobą zgrane. Każda uruchamiana jest oddzielnie, a niezależnie od siebie ruchy te nie powodują ssania – palec włożony do buzi dziecka nie jest wciągany. Przeciwnie, może nawet wywołać wymioty lub ulewanie. Jeżeli zauważycie taką reakcję, niezwłocznie skontaktujcie się lekarzem i zapytajcie, jak pomóc maleństwu w nauce skutecznego ssania.

Jama ustna niektórych dzieci jest szczególnie wrażliwa – na dotyk, różne konsystencje i smaki. Jeżeli dotyczy to waszego dziecka, możecie mu przynieść ulgę, przyciskając mocno jego wargi przed karmieniem lub podaniem palca do ssania. Być może trzeba będzie ucisnąć podniebienie i policzki od wewnątrz. Wówczas dziecko powinno zacząć ssać normalnie. Uważajcie jednak, żeby nie sięgnąć maleństwu zbyt głęboko do gardła, bo możecie spowodować odruch wymiotny. Dziecko poczuje się jeszcze gorzej i uleje pokarm.

Odżywianie dziecka podczas choroby

Kiedy dziecko źle się czuje, nie ma apetytu. Jeżeli wymiotuje, odmówi przyjmowania pokarmów i płynów. W takiej sytuacji grozi mu błyskawiczne odwodnienie, chociaż najczęściej można tego uniknąć. Jeżeli dziecko ma przy tym zaburzenia żołądkowe, na jakiś czas przerwijcie podawanie mleka i kaszek. Podawajcie mu do picia tylko przejrzyste płyny, wodę z cukrem lub solami mineralnymi, których będzie potrzebowało zamiast jedzenia. Jeżeli wymioty się powtarzają, podawajcie dziecku niegazowany napój imbirowy, możecie też sporządzić roztwór nawadniający: 1 łyżka stołowa cukru i pół łyżeczki soli na szklankę wody. Na początek podawajcie dziecku jedną łyżeczkę co 5–10 minut. Jeżeli nie zwróci, przez kolejną godzinę podawajcie jedną łyżkę stołową co 5 minut. W razie gdyby maluch znowu zaczął wymiotować, wróćcie do początkowej dawki i wezwijcie lekarza.

W przypadku infekcji górnych dróg oddechowych, na przykład kataru, kaszlu czy grypy, zadbajcie o to, by dziecko piło jak najwięcej płynów. Jeżeli boli je gardło, zachęcajcie je do picia mimo bólu. W przypadku starszego dziecka ból można uśmierzyć, podając napoje ciepłe lub zimne (a nawet lody wodne). Podawajcie mu przejrzyste płyny mniej więcej co godzinę. Mleko i pokarmy stałe mogą być zbyt ciężkostrawne dla chorego dziecka.

W razie biegunki i wymiotów najważniejszym zadaniem rodziców jest nie dopuścić do odwodnienia i podawać dużo płynów zawierających cukry i sole mineralne. Jeżeli dziecko przy tym gorączkuje, częste picie może pomóc w zbiciu temperatury i doda mu sił do jedzenia. Czasami trzeba sporej pomysłowości, żeby skłonić osłabione chorobą dziecko do picia. Pragnienie wzmagają na przykład lizaki czy solone krakersy.

Objawy odwodnienia

- Małe dziecko rzadziej moczy pieluszki, a starsze rzadziej chodzi siusiu.
- Sucha skóra, zapadnięte oczy.
- Suchość w jamie ustnej, suchy język.
- Apatia i drażliwość.
- Przyspieszone tętno.

Jeżeli wasze dziecko wykazuje któryś z tych objawów lub macie powody podejrzewać, że może być odwodnione, natychmiast skontaktujcie się z lekarzem.

Jeżeli dziecku trzeba przeczyścić nos, żeby mogło swobodnie ssać i pić, możecie zastosować kupione w aptece krople do nosa, rozcieńczone pół na pół z wodą, lub sporządzić własne kropelki (pół łyżeczki soli kuchennej na pół szklanki wody). Zapuśćcie kilka kropelek na 10–15 minut przed karmieniem.

Niezdrowa żywność

Niezdrowa żywność jest wszędzie – piętrzy się na półkach w supermarketach, małych sklepikach, kioskach i na stacjach benzynowych. Kusi maluchy, kiedy czekamy w kolejce do kasy. Można ją dostać w barach szybkiej obsługi, opanowała dworce, przejścia podziemne i centra handlowe. Jest często reklamowana w telewizji w reklamach skierowanych do dzieci, gdzie określa się ją za pomocą haseł „zdrowa", „niskotłuszczowa", „wyłącznie z naturalnych składników".

Jak ma postąpić rodzic wobec tak zmasowanego ataku? Na początek dobrze jest uzmysłowić sobie, z czym walczymy. Upodobania smakowe dzieci kształtują się pod wpływem reklam, które widzą w telewizji. Ale przecież maluchy wcale nie muszą ich oglądać! Oglądajcie z nimi filmy na DVD i stacje wolne od reklam, a jeszcze lepiej – czytajcie razem książki, wtedy dzieci unikną pokusy i nie przyzwyczają się tak łatwo do cukru, soli i niezdrowych tłuszczów zawartych w napojach gazowanych, chipsach, cukierkach, słodzonych płatkach śniadaniowych, hamburgerach i pizzy. Przeciętne dziecko spędza przed telewizorem więcej czasu niż w szkole. Wiele maluchów godzinami ogląda telewizję zamiast uprawiać sporty i zabawy ruchowe. Ograniczajcie czas spędzany przed telewizorem, żeby zapobiec nadwadze i otyłości, które może spowodować brak ruchu. Nie pozwalajcie na to, by dziecko jadło przed telewizorem, i sami nigdy tego nie róbcie!

Wszechobecne sieci *fast food* przyciągają maluchy i rodziców zabawkami-niespodziankami, placami zabaw, nadmuchiwanymi postaciami z bajek, okienkami dla zmotoryzowanych, tanimi daniami i szybką obsługą. Zagonieni rodzice dają się na to nabrać, zwłaszcza gdy dziecko szantażuje ich płaczem i jęczeniem. Gotowe obiady na wynos ułatwiają życie. Zmęczeni pracą dorośli nie muszą gotować ani potem zmywać. Oczywiście, że gotowanie w domu wymaga więcej zachodu, a jeszcze trudniej skłonić dzieci do pomocy. O ileż jednak więcej radości i satysfakcji to daje!

Dzieciom podoba się w restauracjach szybkiej obsługi. Keczup na hamburgerach, mnóstwo małych paczuszek do otwierania, rozlewania, wyrzucania. Pączki i babeczki, słodzone napoje gazowane, solone frytki (często z dodatkiem cukru), ogromne ilości tłuszczu – wszystko to tworzy niezdrowe nawyki żywieniowe. Wkrótce dziecko w ogóle nie będzie chciało jeść, jeżeli nie dostanie słodzonych napojów, przesolonych dań z frytkami i słodkich deserów – łatwo dostępnych i reklamowanych w telewizji w każdej przerwie reklamowej.

Kiedy kubki smakowe dziecka przyzwyczają się do tych zniewalających smaków, może ono stracić głowę dla wymienionych produktów. Jest duże prawdopodobieństwo, że wywołają one próchnicę zębów, otyłość i cukrzycę. Poza tym taka żywność dostarcza tylko pustych kalorii, nie zawiera witamin ani innych składników odżywczych potrzebnych maluchom do prawidłowego rozwoju. Zdrowe jedzenie – zawierające mniej soli, mniej cukru i mniej szkodliwych tłuszczów, oferujące zaś bardziej zróżnicowane smaki i konsystencje – nie ma szans w bezpośredniej rywalizacji z jedzeniem śmieciowym.

Zamiast niezdrowych gotowych dań kupujcie smaczne i świeże produkty o dużej wartości odżywczej. Dziecko z pewnością zostanie poczęstowane niezdrową żywnością u kolegów, może ją też kupować w sklepikach szkolnych, opanowanych przez duże koncerny spożywcze. Powiedzcie mu: „Chipsy i napoje gazowane od czasu do czasu ci nie zaszkodzą, ale na co dzień ich nie potrzebujemy". Prawiąc długie kazania, tylko zaostrzycie apetyt dziecka na zakazane owoce. Nic mu się nie stanie, jeśli czasami zje lodowego rożka lub garść chipsów. Kłopot z niezdrową żywnością polega na tym, że łatwo się do niej przyzwyczaić. Z całą pewnością można tego uniknąć, bo w książkach kucharskich i w internecie znajdziecie mnóstwo przepisów na atrakcyjne dla dzieci przekąski i dania, które są bardzo łatwe w przygotowaniu, niedrogie, a co najważniejsze – smaczne i zdrowe.

Epidemia otyłości w Stanach Zjednoczonych (a także w Polsce) osiąga obecnie apogeum, niepokojąco rośnie również liczba zachorowań na cukrzycę dziecięcą. Główną przyczyną jest brak ruchu, ale niezdrowa żywność także odgrywa tu ogromną rolę.

Rodziny bardzo zapracowane, w których jada się gotowe dania, powinny pamiętać, że niektóre produkty na wynos są zdrowsze niż inne. Są to: sałatki, surówki, sałatki

Zdrowe przekąski, które warto mieć w domu

- Świeże owoce.
- Rodzynki (dla dzieci powyżej 3 lat) i inne suszone owoce.
- Orzechy (dla dzieci powyżej 4 lat).
- Krakersy, rogaliki i bułki z pełnego ziarna.
- Soki owocowe niezawierające cukru (nie napoje owocowe).
- Sery.
- Jogurty.
- Mus jabłkowy.
- Suche płatki zbożowe (o niskiej zawartości cukru).
- Domowe ciasteczka na bazie zdrowych składników, takich jak owies, orzechy, rodzynki, z umiarkowaną ilością cukru i tłuszczu.

owocowe, niektóre potrawy kuchni narodowych, jak chińszczyzna obfitująca w warzywa i ryż gotowany na parze (zdrowszy jest brązowy niż biały), a także specjalności kuchni greckiej, jak faszerowane liście winogron czy pita, oraz hummus i różnego rodzaju tortille z nadzieniem z chudego mięsa, warzyw i sera.

Zatrucie ołowiem i łaknienie spaczone

Zatrucie ołowiem

Zatrucie ołowiem jest bardzo poważną chorobą, ponieważ może zakłócić rozwój ośrodkowego układu nerwowego płodu oraz niemowląt i dzieci do piątego roku życia. Ołowica może prowadzić do nadaktywności psychoruchowej, zaburzeń koncentracji oraz innych zaburzeń uczenia się i zachowania. Przyczynia się też do anemii (niedokrwistości), polegającej na obniżeniu wartości hemoglobiny i liczby krwinek czerwonych. Zanim objawy staną się widoczne, ołów w organizmie można wykryć przy urodzeniu za pomocą badania krwi z pępowiny, a później w rutynowych badaniach krwi zlecanych przez pediatrę. Jeżeli mieszkacie w starym budynku, pediatra powinien zlecić dziecku badania krwi pod kątem obecności ołowiu i anemii. Odpryski farby i drobiny pyłu skażonego ołowiem zbierają się na oknach, parapetach i podłogach. Kiedy raczkujące niemowlę stwierdzi, że mają one słodki smak, szybko zacznie je podnosić i zjadać.

Zbierzcie kilka takich odprysków i oddajcie je do badania, żeby sprawdzić, czy należy usunąć toksyczne farby i tynki ze ścian. Wczesne objawy zatrucia ołowiem to między innymi drażliwość, problemy ze snem, brak apetytu i zaparcia. Później mogą pojawić się wymioty i bóle głowy, a także bóle żołądka, niezborność ruchów, osłabienie, dezorientacja, napady drgawkowe i śpiączka. Zanim te objawy wystąpią, możliwe jest skuteczne leczenie zatrucia ołowiem – im wcześniej, tym lepiej.

Zatrucie ołowiem niestety nie należy do rzadkości, ale można mu zapobiec, chroniąc dziecko przed kontaktem ze związkami ołowiu, które mogą być obecne w starych rurach wodociągowych, farbie ołowiowej, unoszącym się w powietrzu pyle z farb, glebie skażonej ołowiem (z rozmaitych źródeł) oraz naczyniach kuchennych. Jeżeli mieszkacie w starym budynku, koniecznie przebadajcie wodę na obecność ołowiu. Farba ołowiowa powinna zostać usunięta z pomieszczeń mieszkalnych jeszcze przed urodzeniem się dziecka albo kiedy rodzina przebywa poza domem – nie należy przeprowadzać takich prac, gdy domownicy mieszkają w domu. Podczas zdzierania farby ze ścian i drewnianych powierzchni wokół unoszą się toksyczne odpryski i cząsteczki pyłu.

Łaknienie spaczone

Kiedy około ósmego miesiąca życia niemowlę się zorientuje, że może użyć kciuka i palca wskazującego do podnoszenia drobnych przedmiotów (chwyt pęsetkowy), musicie wciąż bacznie je obserwować. Teraz może podnieść i połknąć wszystko, co znajdzie na podłodze. Małe dzieci zjadają włosy, kłaczki wełny, papier, kawałki sznurka, odpryski farby i tynku, glinę, kurz, gwoździe – wszystko, co zmieści im się w buzi. Na szczęście najczęściej wypluwają niesmaczne i niejadalne przedmioty, ale nie powinniście na to liczyć.

„Łaknienie spaczone" to termin medyczny oznaczający częste, powtarzające się próby zjadania substancji niejadalnych. W niektórych przypadkach, na przykład kiedy dziecko przez dłuższy czas regularnie je glinę lub ziemię, zachowanie to tłumaczy się niedoborem żelaza lub cynku. Co prawda to naturalne, że dziecko bada świat ustami, zachowanie to jednak powinno minąć mniej więcej w wieku 4–5 lat.

Jeśli łaknienie spaczone utrzymuje się dłużej i przysparza problemów, spróbujcie odciągać uwagę dziecka od niejadalnych rzeczy, dając mu do rączki jakąś przekąskę. Jeżeli to nie pomoże, zwróćcie się do poradni psychologicznej, gdzie można leczyć łaknienie spaczone za pomocą pozytywnego wzmocnienia (terapia behawioralna).

Posiłki w gronie rodzinnym

Dzieci rozwijają się najlepiej, kiedy w ich życiu panuje porządek; potrzebują schematu. Wspólne śniadania i kolacje wyznaczają im początek i koniec dnia. Jest to szczególnie ważne, gdy rodzice dużo pracują i muszą rozstawać się z dzieckiem na cały dzień. W zestresowanym świecie rytuał regularnego spożywania posiłków komunikuje dziecku: „Twój świat jest tak bezpieczny, jak to możliwe. Jesteśmy wszyscy razem i wspólnie stawimy czoła wyzwaniom”.

Rodzice, którzy cały dzień spędzają poza domem, powinni zrobić wszystko, żeby wieczorny posiłek był porą, kiedy rodzina na nowo się jednoczy. „Co dzisiaj porabiałeś? Tęskniliśmy za tobą” – stwórzcie przyjemną atmosferę, tak żeby każdy miał okazję do podzielenia się swoimi przeżyciami. Nie komentujcie tego, ile dziecko zjada czy nie zjada.

Jasne, zrozumiałe zasady mogą stać się częścią rytuału: „Wszyscy wspólnie jemy to, co jest na stole. Nie ma specjalnych potraw dla nikogo. Jeżeli nie smakuje ci to, co teraz jemy, to może następny posiłek będzie ci bardziej odpowiadał". Z pewnością nie będziecie zadowoleni, jeżeli każde z waszych dzieci będzie się domagało spełniania swoich zachcianek i specjalnych potraw. Dajcie im jasno do zrozumienia, że kiedy zaczną się z wami droczyć lub bawić jedzeniem, uznacie ich posiłek za skończony.

W wielu rodzinach najbardziej stresujące jest wspólne śniadanie. Wstańcie 15–20 minut wcześniej, żeby spokojnie zjeść je z rodziną na dobry początek dnia. Przygotujcie ubranka dla dziecka wieczorem poprzedniego dnia, żeby bez problemu zdążyło na poranny posiłek. Przy jego łóżku postawcie szklankę soku pomarańczowego. Dziecko może wypić sok, zanim wstanie, żeby się rozbudzić i nabrać energii. Wiele dzieci ma rano niski poziom cukru, więc są bardzo ospałe. Kiedy sok podniesie stężenie glukozy we krwi, maluch poczuje się lepiej i wszystko pójdzie mu sprawniej. Podczas wspólnego śniadania możecie przygotować go na rozstanie przed wyjściem do przedszkola lub szkoły. Dobrze skomponowane śniadanie (na przykład mleko z płatkami niezawierającymi cukru i owocami, grzanki z jajkami) to nie tylko najlepszy sposób na podniesienie poziomu cukru. Czas spędzany w rodzinnym gronie można wykorzystać do zaplanowania całego dnia. Pod koniec śniadania porozmawiajcie o tym, że wieczorem znów będziecie razem.

Dzieci, które wcześnie zostaną zaangażowane do pomocy w przygotowywaniu prostych potraw, nakrywaniu do stołu i sprzątaniu po posiłkach, będą miały poczucie uczestnictwa w życiu rodzinnym. W niedzielny poranek naradźcie się z nimi, co ma być na śniadanie, a potem poproście je o pomoc w jego przyrządzaniu. Im więcej dzieci decydują i pomagają przy posiłkach, tym łatwiej będzie stworzyć wyjątkowy, uroczysty nastrój: „To ty wymyśliłaś takie pyszne śniadanko! Dziękujemy!".

Mleko i alergie na mleko

Mleko z piersi matki jest najlepiej przystosowanym dla niemowląt pokarmem. Producenci sztucznych mieszanek od lat próbują odtworzyć jego zalety. Jedną z prób przewyższenia pokarmu naturalnego są tak zwane mieszanki wzbogacone z dodatkiem żelaza. Niestety część dzieci źle toleruje ten dodatek, może się on przyczynić do bólów brzucha (kolki). Niemowlęta mniej więcej do 4–6 miesiąca życia korzystają z zapasów żelaza nagromadzonych w czerwonych krwinkach. Później na ogół potrzebują go więcej niż zawiera pokarm naturalny. W mleku z piersi żelazo występuje w niewielkiej, zmiennej ilości. Należy jednak podkreślić, że dzieci karmione piersią na ogół przyswajają żelazo lepiej niż niemowlęta karmione sztucznymi mieszankami.

W rzadkich przypadkach niemowlęta reagują niekorzystnie na pokarm naturalny. Zwykle jest to spowodowane przenikaniem do mleka pewnych substancji z diety matki. Problem można łatwo rozwiązać, jeżeli kobieta znajdzie „winnego" i wykluczy ów produkt ze swojego jadłospisu.

Nieliczne niemowlęta nie trawią laktozy, cukru zawartego w mleku krowim. Nie jest to alergia, ale tak zwany **zespół nietolerancji laktozy**. Niektóre dzieci wyrosną z niej po jakimś czasie, kiedy ich układ pokarmowy dojrzeje lub wyleczy się z infekcji, która spowodowała przejściowe problemy. Nietolerancja laktozy nie powinna wywoływać wysypki ani kłopotów z oddychaniem, ponieważ nie jest to reakcja alergiczna. Typowymi objawami są biegunka i bóle brzucha.

Niewielka grupa niemowląt ma uczulenie na białko mleka krowiego i w związku z tym nie toleruje mieszanek na jego bazie. Jest to **alergia na białko mleka.** Częste ulewanie, bóle brzucha, biegunka, wysypka, a nawet kłopoty z oddychaniem mogą świadczyć o tym, że niemowlę jest uczulone na białko zawarte w mleku i potrzebuje substytutu. Pediatra pomoże wam wybrać odpowiednią mieszankę zastępczą.

Jeżeli objawy miną po wprowadzeniu zamiennika, zyskacie pewność, że dziecku nie należy podawać ani mleka, ani żadnych produktów mlecznych aż do drugiego czy trzeciego roku życia. Wprowadzając je ponownie w przyszłości, obserwujcie, czy reakcja alergiczna nie powraca. Pediatra powinien także się upewnić, czy mieszanka zastępcza pokrywa zapotrzebowanie malucha na białko, wapń, tłuszcze i witaminy we wczesnych latach życia. Niektóre dzieci uczulone na mleko krowie wykazują też alergię na mleko sojowe. Mieszanki sojowe także można zastąpić odpowiednim zamiennikiem.

Dziecko z alergią na białko mleka może być bardziej zagrożone uczuleniem na inne pokarmy, nie spieszcie się więc z wprowadzaniem nowości. W pierwszym roku życia unikajcie pokarmów, które najczęściej powodują alergie: jajek (zwłaszcza białka jaja kurzego), orzechów, soi, pomarańczy i innych owoców cytrusowych, czekolady, skorupiaków oraz produktów z kukurydzy i pszenicy.

Objawy alergii na białko mleka

- Częste ulewanie i wymioty.
- Oznaki bólu brzucha (lub kolki), jak częsty płacz, zwłaszcza po karmieniu, drażliwość, trudności w uspokajaniu się.
- Biegunka, krwawe stolce – oczywiście przyczyny tych objawów mogą być też inne, dlatego nieodzowna jest konsultacja lekarska.
- Łuszcząca się, szorstka wysypka (atopowe zapalenie skóry, zwane też egzemą lub wypryskiem) zwykle pojawia się później, około szóstego miesiąca życia.
- Pokrzywka – duże, wypukłe czerwone bąble na skórze.
- Trudności z oddychaniem, obrzęk (zwłaszcza jamy ustnej i gardła) i apatia mogą świadczyć o poważnej reakcji alergicznej, która wymaga natychmiastowej interwencji lekarza.

Co robić, jeśli podejrzewacie u dziecka alergię na mleko

1. Jeżeli maluch ma trudności z oddychaniem, wezwijcie pogotowie.
2. Porozmawiajcie z lekarzem o niepojących was objawach. Lekarz musi odróżnić alergię na mleko od nietolerancji laktozy, ponieważ leczenie jest w obu przypadkach inne.
3. Zapytajcie lekarza, czy należy odstawić mieszankę mleczną i zastąpić ją odżywką sojową. Musicie pamiętać, że niektóre niemowlęta uczulone na białko mleka

mają też alergię na produkty sojowe. Dziecko, które nie toleruje laktozy, można przestawić na mieszankę niezawierającą tego związku.

4. Jeżeli chcecie się upewnić, czy to mleko krowie jest źródłem problemu, zapytajcie lekarza, czy po wyleczeniu początkowych objawów możecie ostrożnie podać dziecku niewielką jego ilość. Jeśli te same objawy wystąpią ponownie, zyskacie pewność, że to mleko krowie odpowiada za alergię. Nie podejmujcie jednak takiej próby, jeżeli wasza pociecha wciąż ma poważne objawy alergii, takie jak egzema, trudności w oddychaniu, obrzęk czy apatia.

5. Niektóre dzieci zaczynają z wiekiem normalnie trawić mleko krowie i nabiał. Zanim jednak na nowo wprowadzicie produkty mleczne, skonsultujcie się z lekarzem.

Potrzeby żywieniowe

W miarę jak dziecko rośnie, zmieniają się jego potrzeby żywieniowe. W życiu człowieka jest kilka kulminacyjnych okresów cechujących się intensywnym wzrostem. W pierwszym roku niemowlę rośnie szybciej niż kiedykolwiek później: masa ciała wrasta o 200%, wzrost o 55%, a obwód głowy o 40%. Kolejnym okresem równie imponującego rozwoju jest wiek pokwitania i wczesny wiek młodzieńczy. Nie powinno więc dziwić, że w tych okresach zapotrzebowanie na składniki odżywcze jest najwyższe.

W pierwszych dwóch tygodniach życia noworodki są pochłonięte przystosowywaniem się do nowego środowiska, przy czym nieco tracą na wadze. W drugim tygodniu jednak znowu zaczynają przybierać. Oczywiście w porównaniu ze starszymi dziećmi wydaje się, że te maleństwa jedzą bardzo mało, ale za to znacznie częściej, lecz proporcjonalnie do masy ciała zjadają znacznie więcej niż starsze dzieci. Jedną z przyczyn tak częstych po pierwszym roku życia utarczek o jedzenie jest fakt, że tempo wzrostu i przyrostu wagi zaczyna maleć, a rodzice nie zawsze rozumieją, że dziecko na ogół ma już mniejszy apetyt i nie potrzebuje tak dużo pożywienia.

Oczywiście to spowolnienie ma swoje granice. Wprawdzie dziecko po skończeniu roku już tak szybko nie rośnie, jednak znacznie wzrasta poziom jego aktywności. Jest wciąż zajęte raczkowaniem, wstawaniem i chodzeniem, potrzebuje więc mnóstwa kalorii.

Żaden rodzic nie przeoczy kolejnego wzrostu apetytu dziecka w okresie dojrzewania. Rachunki w sklepach spożywczych błyskawicznie rosną, lodówka zaczyna pękać w szwach, a dzieci rosną jak na drożdżach – wydaje się, że z dnia na dzień.

Jeśli chodzi o zapotrzebowanie na pożywienie, to w przypadku większości dzieci najlepszym wskaźnikiem jest ich apetyt. Może on jednak ulegać zakłóceniom, jeżeli dieta jest źle zbilansowana i maluch dostaje zbyt dużo składników odżywczych jednego rodzaju (na przykład napojów gazowanych, słodyczy, tłuszczy nasyconych), a innych zjada za mało. Taki jadłospis może zaspokajać uczucie głodu, ale nie pobudza wzrostu. Jeżeli nie macie dostatecznej wiedzy na temat potrzeb żywieniowych swojego dziecka na danym etapie rozwoju lub się obawiacie, że ono za słabo rośnie, zwróćcie się do pediatry. Lekarz je zważy, zmierzy wzrost i obwód głowy, poszuka ewentualnych przyczyn zdrowotnych hamujących wzrost, może też skierować dziecko do dietetyka, który pomoże określić jego potrzeby żywieniowe.

Dieta dzieci musi obejmować odpowiednie proporcje białka (zawartego między innymi w rybach, mięsie drobiowym, fasoli, tofu i mięsie czerwonym), tłuszczy (głównym ich źródłem są oleje roślinne, nabiał, mięso, a także ryby i produkty zbożowe) oraz węglowodanów (zawartych przede wszystkim w pieczywie z pełnego ziarna, makaronach, ryżu, niektórych warzywach, owocach i nabiale).

Zgodnie z aktualną piramidą żywieniową opracowaną przez Departament Rolnictwa Stanów Zjednoczonych dieta dzieci w wieku 2–6 lat powinna obejmować:

- produkty zbożowe (pieczywo, makaron, ryż itp.) – 6 porcji;
- warzywa – 3 porcje;
- owoce – 2 porcje;
- mleko – 2 porcje (w sumie ok. 500 ml, czyli 2 szklanki, dziennie);
- produkty bogate w białko (mięso, fasola, jaja itp.) – 2 porcje;
- tłuszcze i słodycze – sporadycznie.

Wielkość spożywanych porcji zmienia się wraz z wiekiem dziecka. Typowa porcja czterolatka może wyglądać tak:

pół szklanki mleka, jajko, 30–60 g chudego mięsa, ⅓ miseczki ryżu lub kaszy, pół miseczki sałaty, pół banana lub jabłka.

Dzieci potrzebują również odpowiedniego zestawu witamin oraz składników mineralnych i pierwiastków śladowych. Najlepszym sposobem ich zapewnienia jest podawanie urozmaiconych potraw. Niezbędny dla zdrowia bilans tych składników zmienia się wraz z wiekiem i rozwojem. W okresie niemowlęcym najczęściej notuje się niedobory żelaza i witaminy D. W późniejszym dzieciństwie z kolei wielu maluchom brakuje wapnia. Dostępnych jest mnóstwo poradników zawierających szczegółowe informacje na temat potrzeb żywieniowych rozwijającego się dziecka. Zapytajcie pediatrę, jak prawidłowo skomponować jadłospis swojej pociechy. Wiele dzieci nie potrzebuje żadnych suplementów witaminowych, a niektóre witaminy i składniki mineralne mogą w nadmiarze być szkodliwe dla zdrowia.

Nadwaga

Współczesne Stany Zjednoczone zmagają się z epidemią otyłości dziecięcej – szacuje się, że 20% wszystkich dzieci ma znaczną nadwagę. Dziecko uważa się za otyłe, jeżeli przekracza normę wagową dla swojego wieku i wzrostu o 20%. Otyłość definiuje się również jako taki poziom nadwagi, który stwarza potencjalne ryzyko dla zdrowia fizycznego i psychicznego.

Dzieci z nadwagą często są wyśmiewane przez rówieśników i w efekcie mają niską samoocenę. Nie wykazują się na zajęciach sportowych lub w ogóle ich unikają. Nadwaga może prowadzić do problemów zdrowotnych w dzieciństwie (między innymi nadciśnienie, wysokie stężenie cholesterolu, bezdech senny, choroby stawów), zwiększa też ryzyko wystąpienia wymienionych i innych chorób w dorosłości (na przykład cukrzycy, chorób nowotworowych i zawału serca). Otyłość dziecięca jest również głównym czynnikiem ryzyka otyłości w wieku dojrzałym.

Dziedziczność jest ważnym czynnikiem w przypadku skłonności do nadwagi, dlatego dzieci otyłych rodziców są szczególnie zagrożone otyłością. W Stanach Zjednoczonych dodatkowym czynnikiem ryzyka jest dostępność niezdrowej i wysokoprzetworzonej żywności, która zawiera nadmierne ilości szkodliwych dla zdrowia tłuszczy, cukru i soli – puste kalorie bez jakiejkolwiek wartości odżywczej. Zdrowsze artykuły żywnościowe bogate w białko i błonnik nie są tak nachalnie promowane w telewizyjnych reklamach i barach szybkiej obsługi, ponieważ na ogół są droższe. Niestety, dzieci z najbiedniejszych rodzin są najbardziej zagrożone.

Niezdrowe nawyki żywieniowe idą w parze z powszechnym brakiem ruchu. Telewizja, filmy, gry komputerowe i internet zabierają dzieciom czas, który mogłyby wykorzystać na uprawianie aktywności fizycznej. Z naszego najbliższego otoczenia znika przyroda, na polach, łąkach i w lasach wyrastają centra handlowe i dzielnice mieszkaniowe, szosy wypierają chodniki dla pieszych, a rodzice ze względów bezpieczeństwa coraz częściej nie wypuszczają dzieci z domu i sadzają je przed telewizorem. W przypadku niektórych dzieci mogą wystąpić dodatkowe czynniki sprzyjające otyłości. Część maluchów się objada, aby znaleźć ukojenie i wyciszyć emocje, zwłaszcza gdy nie poznały innych sposobów na rozładowanie napięcia. Niektóre dzieci nie nauczyły się rozpoznawania u siebie sygnałów głodu i sytości. Przypuszczalnie częściej dotyczy to tych, które nie miały okazji zaznać radości spożywania rodzinnych posiłków w swobodnej atmosferze i jadają same przed telewizorem albo przez cały dzień jedzą byle co między posiłkami. Dziecko nauczy się zwracać uwagę na uczucie głodu, jeśli posiłki (a także przekąski) będą podawane o regularnych, przewidywalnych porach i będą miały początek, część główną i zakończenie, na przykład zupa czy sałatka na pierwsze danie, danie główne i deser. Jeżeli niepokoicie się nadwagą swojej pociechy, to jak najwcześniej powiedzcie o tym pediatrze. Powinien on monitorować przyrost wagi i wzrostu dziecka podczas rutynowych wizyt w poradni. Dzieci mające nadwagę przed ukończeniem drugiego roku życia są znacznie bardziej narażone na otyłość w późniejszym czasie. Należy również wziąć pod uwagę rzadsze zdrowotne przyczyny nadwagi, między innymi zaburzenia hormonalne. Do nadmiernego przybierania na wadze może też prowadzić depresja.

Wielu dzieciom zdarza się nieco przytyć tuż przed wejściem w okres pokwitania. O ile przyrost wagi nie jest zbyt duży, nie musicie się tym niepokoić. Dzieci w tym wieku często są przewrażliwione na punkcie swojego wyglądu,

a przesadna reakcja rodziców na jego zmianę może je wy-
trącić z równowagi. Powstrzymajcie się od komentarzy. Jeżeli się tym martwicie, dyskretnie poradźcie się pediatry
w czasie rutynowej wizyty kontrolnej. Jeżeli dziecko ma
z tym problem, wysłuchajcie go i okażcie zrozumienie, ale
wyjaśnijcie, że jest to zupełnie naturalna zmiana i że wy
się nią nie martwicie.

Co robić, gdy dziecko ma znaczną nadwagę

Po ukończeniu 2 czy 3 lat możecie przestawić dziecko
z pełnego mleka na mleko o niższej zawartości tłuszczu.
Nie podawajcie mu potraw smażonych. Kiedy tylko jest
to możliwe, zastępujcie czerwone mięso źródłami białka o niskiej zawartości tłuszczu, na przykład mięsem drobiowym, rybami i fasolą. Pamiętajcie, że nawet potrawy
niskotłuszczowe mogą zawierać dużo kalorii w postaci
cukrów czy węglowodanów i powodować tycie (soki z dodatkiem cukru, słodzone płatki śniadaniowe, słodycze,
cukierki). Zamiast soków (zwłaszcza kupowanych w sklepie, wysokosłodzonych i wysokokalorycznych) podawajcie dziecku do picia wodę. Świeże owoce i warzywa bogate w błonnik i witaminy są znacznie zdrowsze dla dzieci
z nadwagą niż wysokoprzetworzone gotowe dania. Pieczywo i makarony z pełnego ziarna (razowe) oraz brązowy ryż mają dużą przewagę nad artykułami z białej,
oczyszczonej mąki.

Pamiętajcie, że przyrost masy ciała jest nieunikniony,
ny, jeżeli maluch przyjmuje więcej kalorii niż może spalić.

Trosce o dietę dziecka z nadwagą musi towarzyszyć zachęcanie go do aktywności fizycznej. Zamiast wozić je do szkoły i po sprawunki samochodem, idźcie pieszo lub pojedźcie rowerem (w kasku ochronnym). Angażujcie dziecko do pomocy przy prostych pracach fizycznych w domu i ogrodzie. Zachęcajcie je do uczestnictwa w szkolnych i pozaszkolnych zajęciach sportowych i tanecznych, chociaż może to wymagać większych nakładów z waszej strony, dziecku bowiem trzeba będzie pomóc w nauce podstawowych umiejętności, których nie nabyło właśnie z powodu niechęci do ruchu i ćwiczeń fizycznych. Dopilnujcie, żeby żadne z tych zajęć nie stało się dla dziecka przykrą uciążliwością. Niech samo zadecyduje, jakie formy aktywności fizycznej najbardziej mu odpowiadają. Skupcie się na zdrowiu, a nie na wyglądzie. Starajcie się przeprowadzić te zmiany w sposób spokojny i rzeczowy, a jeszcze lepiej pokażcie dziecku, że ruch może być źródłem przyjemności!

Dziecko nie będzie zainteresowane rozpoczęciem ćwiczeń, jeżeli zrobicie mu przykrość, sugerując, że jest za grube. Zamiast uderzać w alarmujący ton, spróbujcie najpierw wysłuchać dziecka – może rówieśnicy w szkole śmieją się z niego, bo nie potrafi szybko biegać, może się wstydzi, że musi nosić luźne, workowate ubrania. Kiedy przyjdzie do was z takimi zmartwieniami, nie mówcie mu, że to wszystko przez jego otyłość. Lepiej zapytajcie: „Czy chcesz nad tym trochę popracować?". Jeśli odmówi, powiedzcie po prostu: „Jeżeli zmienisz zdanie, to są sposoby, żeby temu zaradzić. Powiedz mi, jak do tego dojrzejesz". O ile dziecko nie będzie gotowe, naciskanie nie ma sensu – to nigdy się nie sprawdza. Tymczasem wysłuchajcie go, ograniczcie do minimum niezdrową żywność, oglądanie telewizji i korzystanie z komputera, starajcie się dawać przykład zdrowego odżywiania i aktywności ruchowej. Dobre nawyki powinny dotyczyć wszystkich członków rodziny, żeby uniknąć negatywnego skupiania się na dziecku z nadwagą.

Jeśli wasza pociecha stwierdzi, że jest gotowa popracować nad zrzuceniem kilogramów, zapytajcie: „Chcesz poznać kilka pomysłów na potrawy, które na pewno będą ci smakowały, a po których będziesz miał lepsze samopoczucie? Chcesz wiedzieć, które produkty trzeba ograniczyć?". Zapewnijcie dziecko, że rozumiecie, iż potrzebuje jedzenia, i że nigdy nie będzie głodne. Kiedy zaczniecie wspierać je w walce z nadwagą, pamiętajcie, że wszystkie działania powinny wynikać z jego inicjatywy, nie waszej. Możecie zaproponować: „Jeśli chcesz, zapiszemy cię na jakieś zajęcia gimnastyczne". Takie zajęcia organizują na przykład miejskie ośrodki kultury i rekreacji, kluby sportowe czy szkoły (po lekcjach). Niektóre dzieci czują się swobodniej, ćwicząc pod okiem profesjonalnych instruktorów, a nie rodziców.

Jeżeli potraficie pomóc dziecku w odkryciu jego własnej motywacji do podjęcia tego wyzwania, to macie duże szanse na sukces. Bądźcie jednak taktowni i ostrożni. Jeżeli dziecko wyczuje, że jest to raczej problem rodziców niż jego, może zacząć jeszcze bardziej się objadać – i powstanie błędne koło.

Grymaszenie przy jedzeniu

Niektóre dzieci mają wyjątkowo wrażliwe kubki smakowe, co może im przeszkadzać w jedzeniu posiłków podawanych przez rodziców. Możecie wówczas myśleć: „Wszystkie dzieci jedzą to, co dostają, jeżeli im się to pokroi, tylko moje nie. Czy mały robi to na złość, czy może jest jakaś poważniejsza przyczyna?". Radziłbym, żebyście po prostu unikali potraw i konsystencji, na które dziecko jest szczególnie czułe. Zamiast nich podajcie coś o podobnej wartości odżywczej. Z potrawami, których dziecko nie chce jeść, poczekajcie, aż podrośnie. Nie ma sensu podsycać jego oporu w okresie, gdy uczy się jeść samodzielnie.

Na jawną lub ukrytą presję rodziców wiele dzieci reaguje wybrzydzaniem. W drugim i trzecim roku życia jest to sposób na testowanie stanowczości dorosłych. „Nie będę tego jadł. Zróbcie mi chleba z masłem orzechowym" – mówi maluch. Zrobi wszystko, żeby nie zjeść tego, co akurat podają mu rodzice. Mama czy tata, którzy spełniają wszystkie zachcianki dziecka, dają się wciągnąć w jego grę i rezygnują z wyznaczenia potrzebnych mu granic. Zamiast w pośpiechu przygotowywać coś innego, powinniście powiedzieć: „Nic innego dzisiaj nie mamy na obiad". Jeżeli potrawa, której dziecko się domaga, jest w miarę zdrowa, możecie dodać: „Jaki dobry pomysł! Ugotujemy to jutro!". Nie zmieniajcie natychmiast jadłospisu tylko dlatego, że dziecko grymasi. Równie dobrze może się wykrzywić na nową potrawę, którą mu podacie, a w dodatku pokażecie mu, że pozwalacie sobą dyrygować.

Najlepszym sposobem na zapobieganie grymaszeniu, zanim się zacznie, jest stawianie na stole większego wyboru potraw, oczywiście bez wmuszania ich w dziecko. Większość nawet najbardziej wybrednych dzieci, gdy może wybrać z większej liczby produktów, z czasem w nich zagustuje, pod warunkiem że nie będzie zmuszana do ich jedzenia.

Odżywianie wcześniaków i dzieci specjalnej troski

Niektóre dzieci po urodzeniu wymagają szczególnej opieki, na przykład wcześniaki oraz noworodki donoszone z hipotrofią wewnątrzmaciczną[13]. Część noworodków z powikłanych porodów potrzebuje intensywnej terapii, by odzyskać równowagę. Termin „dzieci specjalnej troski" obejmuje również noworodki urodzone z rozmaitymi wadami i upośledzeniami, z których część jest dziedziczna, część powstała w trakcie ciąży, a część z niewyjaśnionych przyczyn.

Wcześniaki i inne dzieci wymagające szczególnej opieki należy niezwłocznie poddać diagnozie medycznej i dobrze rozpoznać ich potrzeby. Jeszcze zanim noworodek dojdzie do równowagi po pierwszym ogromnym stresie – narodzinach – musi zebrać siły na przystosowanie się do nowego środowiska. Jego organizm jest przytłoczony nowymi warunkami – koniecznością podjęcia samodzielnego oddychania, krążenia krwi i regulacji temperatury ciała,

---

13 Hipotrofia wewnątrzmaciczna – zahamowanie wzrostu płodu spowodowane upośledzeniem funkcji łożyska w czasie ciąży i niedoborami pokarmowymi (przyp. tłum.).

trudną adaptacją do obezwładniających dźwięków i ostrego światła, do własnych mimowolnych ruchów, których już nie ogranicza macica, do pobierania składników odżywczych i płynów w zupełnie nowy sposób. Jak kruche i delikatne maleństwo ma sobie poradzić z tyloma radykalnymi zmianami w tak krótkim czasie?

Cud narodzin i przetrwania stawia ogromne wymagania także przed rodzicami. Mama i tato boleją nad stanem dziecka, troszczą się o nie i zmagają z lękiem o jego przyszłość: czy przeżyje? Czy będzie upośledzone przez całe życie? Czy warto, żeby żyło, skoro ma być niepełnosprawne? Jeżeli przeżyje, to czy poradzą sobie z jego pielęgnowaniem? Wszyscy rodzice dzieci z wadami rozwojowymi muszą zmierzyć się z tymi pytaniami, a następnie stawić czoła trudom wychowywania wątłego maluszka, gdy zostanie wypisany ze szpitala. Często są zbyt przybici, by zwrócić się o fachową pomoc i zrozumienie, których potrzebują, by oswoić się z sytuacją i dostosować do wymagań chorego dziecka. Zachęcam, żebyście w takiej sytuacji jak najczęściej odwiedzali maleństwo na oddziale intensywnej opieki i uczyli się od personelu, jak je chronić, jak się z nim obchodzić, jak je karmić. Kiedy noworodek odzyska równowagę i przystosuje się do otoczenia, wam również będzie łatwiej.

Trudności w karmieniu

Bardzo wiele dzieci specjalnej troski ma trudności z jedzeniem. Problemy z przełykaniem spowodowane uszkodzeniami neurologicznymi lub opóźnieniami rozwojowymi, które upośledzają mechanizm przełykania, refluks żołądkowo-przełykowy po karmieniu, nadwrażliwość układu trawiennego prowadząca do kolki i drażliwości, nadwrażliwość układu nerwowego na bodźce słuchowe, dotykowe, wzrokowe i kinestetyczne – wszystko to wymaga odpowiedniego obchodzenia się z dzieckiem i specjalnego podejścia podczas karmienia. Pełni obaw rodzice muszą poznać i zrozumieć wszelkie szczególne potrzeby wątłego noworodka jeszcze przed wypisaniem go ze szpitala. Jest wiele sposobów leczenia, kojenia i łagodzenia reakcji rozregulowanego układu nerwowego takich maluszków, jeśli tylko rodzice mają okazję uczyć się od wykwalifikowanych pielęgniarek, lekarzy i innych specjalistów w dziedzinie opieki nad dziećmi z wadami rozwojowymi. Rodzice mają pełne prawo prosić o taką pomoc, żeby otoczyć swoje dziecko jak najlepszą opieką.

Nieodzowne będą cierpliwość i uważna obserwacja zachowania dziecka. Wcześniaki i dzieci z wadami rozwojowymi muszą regenerować się powoli. Proces ten obejmuje różne systemy organizmu – układ krążenia, układ oddechowy, układ nerwowy wraz ze wszystkimi zmysłami i układ pokarmowy. Ich działanie musi zostać zintegrowane i zestrojone, aby umożliwić dziecku harmonijny rozwój.

Rodzice muszą wykazać się ogromną cierpliwością i zrozumieniem tych procesów. Przede wszystkim muszą do minimum ograniczać wszelkie bodźce działające na dziecko (dźwięki, światło czy nawet branie na ręce i dotykanie). Tymczasem silne pragnienie, żeby maluszek jak najszybciej doszedł do siebie i nadrobił opóźnienia, sprawia, że mama i tata nadmiernie koncentrują się na tym, by jak najwięcej jadł. Jest wysoce prawdopodobne, że takie nastawienie przyniesie niepożądane skutki, na przykład przeciążenie wrażliwego przewodu pokarmowego, co może skutkować wymiotami lub biegunką.

Wcześniaki i dzieci z niską wagą urodzeniową są podwójnie narażone. Z jednej strony potrzebują znacznie więcej składników odżywczych w stosunku do masy ciała niż dzieci urodzone w terminie. Z drugiej strony ich układ trawienny wciąż nie jest na tyle dojrzały, żeby poradził sobie ze zwiększoną ilością pokarmu.

Sztuczne mieszanki pokarmowe

Na rynku dostępne są specjalne mieszanki przeznaczone dla wcześniaków, a specjalista dietetyk w szpitalu doradzi wam, która z nich będzie najbardziej odpowiednia, czy należy ją rozcieńczać oraz jak często i w jakiej ilości można podawać ją dziecku. Czasami wcześniaki muszą być karmione przez sondę lub przyjmować składniki odżywcze dożylnie, dopóki nie nauczą się samodzielnie ssać, a ich układ pokarmowy nie dojrzeje na tyle, by poradził sobie z trawieniem mleka modyfikowanego.

Karmienie piersią

Wcześniaki można oczywiście karmić mlekiem matki, choć może to przysparzać trudności. Początkowo maluchy są zbyt wątłe, żeby ssać pierś (mają niewykształcony odruch ssania), tak więc mamy, które pragną karmić naturalnie, powinny ściągać pokarm – jeszcze podczas pobytu na oddziale intensywnej opieki i potem w domu. Mleko matki, nawet jeżeli ciąża zakończyła się przedwcześnie, zawiera idealne proporcje białka i przeciwciał, które chronią noworodka przed infekcjami. Specjalista dietetyk może zalecić mieszanie mleka matki z dodatkowymi składnikami odżywczymi odpowiednimi dla wcześniaków.

Mama wcześniaka potrzebuje wsparcia i zasługuje na dodatkową pomoc – ze strony rodziny, personelu oddziału intensywnej opieki medycznej, konsultanta do spraw laktacji. Na wielu oddziałach wprowadzono metodę kangurowania polegającą na kontakcie „skóra do skóry", układaniu noworodka między piersiami matki lub owijaniu w chuście. Kangurowanie pobudza do wytwarzania pokarmu i umożliwia bezpośrednią bliskość z dzieckiem.

Rodzice muszą uważnie obserwować swoje maleństwo i dostosować się do jego indywidualnej sytuacji. Dziecko może na przykład potrzebować karmienia co trzy, a nie co cztery godziny. Początkowo konieczne będzie karmienie dziecka w cichym, zaciemnionym pomieszczeniu – powoli i ostrożnie. Z czasem rodzice mogą próbować stopniowo pobudzać malucha i dostarczać mu bodźców, co trzeba przerwać, gdy tylko pojawią się oznaki, że dziecko ma już dość – czyli kiedy zacznie ulewać, dostanie czkawki albo się wypróżni. Jeśli buzia maluszka robi się ciemnoczerwona, a jego ciało napina się i też zmienia barwę, to znak, że jest on już przeciążony bodźcami. W takiej sytuacji może zwymiotować cały pokarm, który udało mu się przełknąć. Wątłego, kruchego noworodka trzeba chronić przed bodźcami wzrokowymi, odgłosami i gwałtownymi ruchami, jeżeli ma robić postępy w rozwoju – mimo że na co dzień może to być trudne.

Rodzice wcześniaków i dzieci z wadami rozwojowymi, którzy przebrnęli przez trudny okres przystosowania się do specjalnych potrzeb swojej pociechy, bardzo często stają się nadmiernie opiekuńczy. Pełni lęków i obaw nie potrafią pozwolić dziecku na przejście nieuchronnych punktów zwrotnych rozwoju, kiedy jest już starsze. W momentach przełomowych, kiedy można się spodziewać pewnego uwstecznienia w sferze jedzenia, zamartwiają się i wmuszają w malucha jedzenie. Z tego powodu dziecko może nie nauczyć się jeść samodzielnie, kiedy już osiągnie do tego gotowość. Tacy rodzice nie będą potrafili zaakceptować sprzeciwu, zwłaszcza w dziedzinie tak ważnej jak jedzenie. Będą skłonni raczej tłamsić pączkującą niezależność dziecka, ponaglając je ciągle, by zjadło to czy tamto. Maluch, zwłaszcza wątłe niemowlę, potrzebuje licznych okazji do własnych osiągnięć, żeby móc z dumą pokazać: „Udało mi się samemu". Dzieci zawsze wygrywają batalie o jedzenie, a rodzice nie mogą zrobić nic gorszego niż wywoływanie konfliktów przy karmieniu. Nie warto się zamartwiać ani trząść nad dzieckiem, zamiast tego powinniście je zachęcać, by było samowystarczalne, i szukać porady, jeżeli nie jesteście pewni, jak postępować. Nie wmuszajcie jedzenia w dziecko, bo tu jesteście skazani na porażkę.

Jedzenie a dyscyplina

Jeżeli dziecko jest przy jedzeniu nieznośne, nie próbujcie radzić sobie z tym za pomocą kar i nagród. Nie używajcie także jedzenia jako nagrody i kary do dyscyplinowania w ogóle. Inaczej bowiem jedzenie może stracić swoje podstawowe znaczenie jako element niezbędny do przetrwania i źródło przyjemności, a posiłki – jako czas pozytywnych interakcji. Smutnym niepożądanym rezultatem takiej taktyki mogą być poważne problemy z odżywianiem. Gdy rodzic mówi na przykład: „Jeśli będziesz niegrzeczny, nie dostaniesz deseru", dziecko, które z jakiejś ukrytej przyczyny chce ukarać samo siebie, może uznać, że głodzenie się będzie zasłużoną karą (lub odwrotnie – deser stanie się jeszcze bardziej pożądany). Kiedy rodzic mówi: „Jeśli będziesz grzeczny, możesz sobie wziąć dokładkę", dziecko złaknione miłości i aprobaty może kompensować sobie ich brak przejadaniem się.

Wasza rola polega między innymi na tym, by decydować, ile i jakie jedzenie dawać dziecku. Możecie stwarzać przyjemną atmosferę przy posiłkach. Natomiast nie wolno wam wciskać jedzenia na siłę do buzi dziecka ani zmuszać go do przełknięcia. To ono ostatecznie zdecyduje, co, kiedy i ile zje, i nic tego nie zmieni. Jeżeli spróbujecie je przekupić lub zagrozicie mu karą, żeby skłonić je do zjedzenia posiłku, niczego nie wygracie.

Nawet jeśli dziecko nauczyło się czerpać radość z posiłków w pierwszym roku życia, to nie znaczy, że nie zbuntuje się i nie zacznie wystawiać was na próbę w drugim roku. Możecie przeczekać ten okres, jeżeli będziecie na to przygotowani i postanowicie się dobrze bawić razem z dzieckiem. Poczucie humoru będzie tu najlepszą obroną.

Pozwólcie maluchowi droczyć się z wami. W drugim i trzecim roku życia stosunkowo łatwo jest zapewnić dziecku podstawowe składniki odżywcze, o czym już pisaliśmy. Czas posiłku powinien być czasem serdeczności i wspólnej zabawy – a nie męki dla wszystkich.

Desery

Czy należy rezerwować deser na nagrodę dla dziecka, które ładnie je, a niejadkowi go odmawiać? Ależ nie. Deser jest zwieńczeniem posiłku, sposobem jego zakończenia, a nie nagrodą. Jeżeli zaczniecie nagradzać nim dziecko, stanie się on bardziej pożądany niż wszystko, co maluch musi nauczyć się jeść! Wszystkim domownikom serwujcie ten sam rodzaj deseru, żeby nie mógł on służyć ani jako kara, ani nagroda.

Słodkie, wysokoprzetworzone desery są dla dzieci ogromną pokusą. Pod wpływem reklam w telewizji, które sprawiają, że jeszcze trudniej się oprzeć słodkościom, maluchy wpadają w histerię i szantażują rodziców napadami złości i niepohamowanego płaczu. Jeżeli deser jest przyczyną wiecznych awantur, warto zastąpić słodycze czymś bardziej odżywczym – owocami, jogurtem lub lodami (o obniżonej zawartości tłuszczu, jeśli dziecku grozi nadwaga). Uważajcie jednak, żeby nie przedstawiać jedzenia zdrowej żywności jako kary. Oszczędzicie sobie i dziecku mnóstwa przykrości, jeżeli ciężkostrawne, słodkie i tłuste desery, na przykład lody z bitą śmietaną i polewą, ciasta i ciasteczka z kremem czy puddingi, wyłączycie ze swojego jadłospisu lub zachowacie na szczególne okazje, takie jak urodziny. Dziecko będzie próbowało wzbudzić w was poczucie winy, jakbyście pozbawiali go czegoś cennego. Nie przejmujcie się tym. Nie wyrządzacie mu przecież krzywdy, a maluch jakoś to przeboleje.

Zespół przeżuwania

Zespół przeżuwania to rzadkie zaburzenie polegające na tym, że niemowlę, zwykle między trzecim a dwunastym miesiącem życia (choć zdarza się to także starszym dzieciom), zwraca po karmieniu jedzenie do jamy ustnej, żeby je jeszcze raz przeżuć. Wykonuje ruchy ssące lub żujące, może też wsuwać palce do gardła, aby wywołać odruch wymiotny, lub się pręży, aby ułatwić cofanie treści żołądka do jamy ustnej.

Rodzice takich dzieci się zamartwiają. Ich obawy dołączają do ukrytych problemów dziecka i w rezultacie maluch przestaje przybierać na wadze, a nawet chudnie. Niemowlę z takimi objawami trzeba poddać badaniu u specjalisty (gastroenterologa dziecięcego), żeby wykluczyć przyczyny zdrowotne, między innymi przerostowe zwężenie odźwiernika, zwężenie dolnego zwieracza przełyku, przepuklinę rozworu przełykowego lub przepony, refluks żołądkowo-przełykowy lub infekcje przewodu pokarmowego.

Tymczasem dzieci, u których nie stwierdzono medycznych przyczyn cofania pokarmu, być może próbują w ten sposób zasygnalizować, że przy karmieniu (a także przy innych okazjach) otrzymują za mało lub za dużo bodźców z zewnątrz. Postarajcie się, by pora karmienia przynosiła maluchowi więcej zadowolenia. Jeżeli macie jeszcze inne dzieci, które powodują wiele hałasu, być może powinniście karmić niemowlę w spokojniejszym otoczeniu. Może powinniście je wyciszyć śpiewem i kołysaniem, zanim zaczniecie je karmić. A może przemawiajcie do niego serdecznie po jedzeniu, kiedy sadzacie je na leżaczku i podpieracie, żeby uniknąć zwrócenia pokarmu.

Jeżeli dziecko nadal wymusza cofanie pokarmu, zwróćcie się do pediatry, który po zbadaniu go i wykluczeniu przyczyn medycznych może skierować was do psychologa behawioralnego, doświadczonego w leczeniu zespołu przeżuwania. Wasz niepokój, wprawdzie całkiem zrozumiały, może tylko zaostrzyć problem, a specjalista z pewnością podsunie sposoby radzenia sobie z tym zaburzeniem i pomoże je przezwyciężyć.

Jedzenie w szkole

Kiedy rodzice przygotowują dziecku drugie śniadanie do szkoły, jedzenie nabiera dla niego nowego znaczenia: staje się symbolem więzi z rodzicami. Zjadając podczas przerwy to, co przyniósł sobie z domu, maluch wspomina ich i czuje z nimi łączność. Ja do dzisiaj pamiętam kanapki z masłem orzechowym i (od czasu do czasu) smażonego kurczaka z obiadu, które w czasach szkolnych znajdowałem w swoim pudełku na drugie śniadanie. Jedzenie przypominało mi dom i rodziców, którzy wysłali mnie do szkoły. Ucisk w gardle wywołany tęsknotą za nimi zawsze mijał, kiedy pałaszowałem swoje smakołyki.

Każda kanapka, jabłko czy pomidor ma dla dziecka symboliczny wymiar. Do pudełka na kanapki możecie od czasu do czasu włożyć krótki liścik: „Baw się dobrze w szkole! Pamiętasz, co zaplanowaliśmy na ten weekend?".

Szykowanie przekąsek do szkoły jest także okazją, żeby pozwolić dziecku na dokonywanie własnych wyborów, a nawet własnoręczne przygotowanie jedzenia. Maluch będzie szczęśliwy, jeśli po otwarciu pudełka w szkole zobaczy przekąskę, którą wybrał, albo serwetkę, w którą sam ją zawinął. Oczywiście przygotowanie jedzenia do szkoły jest bardziej czasochłonne niż danie mu pieniędzy, żeby sobie coś kupił w szkolnym sklepiku czy stołówce. Jeśli jednak podzielicie się tym zadaniem z dzieckiem – na przykład wieczorem, kiedy możecie wybrać coś, co zostało z obiadu – będą to bardzo przyjemne wspólne chwile.

Jeżeli wasze dziecko ma wykupione obiady w szkolnej stołówce, dowiedzcie się, jakie posiłki dostaje. Czy jest to zdrowa żywność? Sprawdźcie, czy dzieci nie tłoczą się przy automatach z colą i słodyczami, bojkotując obiady w stołówce. Możecie interweniować wraz z innymi rodzicami, jeśli posiłki podawane w szkole są niezdrowe, na terenie szkoły można kupić niezdrową żywność albo słodzone napoje gazowane.

Ulewanie, refluks żołądkowo-przełykowy i zwężenie odźwiernika

Ulewanie

Ulewanie jest często mylone z wymiotami i refluksem żołądkowo-przełykowym. Tymczasem z wymiotami mamy do czynienia wtedy, gdy treść pokarmowa jest gwałtownie wyrzucana z żołądka, a w trakcie ulewania po prostu wypływa z ust. Większość niemowląt od czasu do czasu ulewa niewielkie ilości niestrawionego pokarmu matki lub mieszanki, zwłaszcza zaraz po karmieniu bądź podczas odbijania powietrza. Niemowlę, któremu ulał się pokarm, rzadko płacze. Osoba, która akurat je trzymała i której ubranie zostało zabrudzone, może być bardziej zdenerwowana tym faktem. Natomiast kiedy maluch wymiotuje, ilość częściowo strawionego pokarmu jest większa, a dziecko na ogół płacze z bólu i niepokoju.

Wymioty, które mijają po mniej więcej jednym dniu, są najprawdopodobniej spowodowane infekcją jelitową lub grypą żołądkową, zwłaszcza gdy dziecko przy tym gorączkuje. W tym przypadku najważniejsze jest niedopuszczenie do odwodnienia organizmu. Jeżeli wymioty lub ulewanie dużych ilości pokarmu po jedzeniu utrzymują się dłużej, mogą świadczyć o różnych schorzeniach, na przykład właśnie o refluksie żołądkowo-jelitowym. Aby jak najszybciej ustalić przyczynę, wezwijcie lekarza, żeby zbadał dziecko.

Niemowlęta, które piją łapczywie, często ulewają pokarm po jedzeniu. Rodzicom może się wydawać, że to choroba refluksowa, tymczasem część takich dzieci potrzebuje jedynie zwolnienia tempa i nieco pomocy, żeby nauczyć się przełykać mniejszą ilość za jednym razem. Po jedzeniu posadźcie dziecko podparte pod kątem 30 stopni, żeby siła grawitacji działała na jego korzyść. U niektórych niemowląt ulewanie niewielkich ilości mleka utrzymuje się nawet do siódmego czy dziewiątego miesiąca życia.

Refluks żołądkowo-przełykowy

Refluks żołądkowo-przełykowy jest zaburzeniem, które może wystąpić u niemowląt w pierwszym roku życia, kiedy pierścieniowaty mięsień na szczycie żołądka (zwieracz) nie jest jeszcze dostatecznie rozwinięty, aby nie dopuszczać do cofania się treści pokarmowej z żołądka do przełyku. W rezultacie pokarm, zwykle płynny, który już przedostał się przez przełyk do żołądka, jest cofany z powrotem do przełyku. Niemowlę prawie po każdym karmieniu wymiotuje lub ulewa duże ilości treści pokarmowej, która najczęściej kończy na ramionach i piersiach nieszczęsnego rodzica. Pokarm wygląda na częściowo strawiony. Przy słabo wykształconym zwieraczu cofająca się treść pokarmowa zawiera kwasy żołądkowe, które, dostając się do przełyku, sprawiają dziecku ból i maluszek płacze po każdym posiłku.

Objawy refluksu żołądkowo-przełykowego

- Częste i obfite wymioty po karmieniu.
- Oznaki bólu po karmieniu, takie jak płacz, prężenie pleców.

- Kaszel i krztuszenie się przy karmieniu.
- Rozdrażnienie i grymaszenie po karmieniu.
- Odmowa jedzenia – prężenie się, odwracanie głowy.
- Krwawe wymioty lub stolce.
- Brak przyrostu masy ciała, utrata masy ciała.

Chociaż refluks żołądkowo-przełykowy występuje dość często, lekarz zbada również, czy te objawy nie mają innych przyczyn, zwłaszcza jeśli są zaostrzone.

Nie lekceważcie objawów i powiedzcie pediatrze, że niepokoją was wymioty i ulewanie, opiszcie też swoje obserwacje dotyczące tego, co w takiej sytuacji pomaga dziecku. Jeżeli lekarz stwierdzi refluks, może przepisać leki, które neutralizują kwaśność soku żołądkowego i wspomagają żołądek w przesuwaniu pokarmu we właściwym kierunku.

W zaostrzonej postaci choroba refluksowa może przyczynić się do zahamowania przyrostu masy ciała i ogólnego rozwoju dziecka, co wymaga pilnego leczenia. Sporadycznie może powodować owrzodzenie przełyku wywołane działaniem kwasów żołądkowych, a nawet uszkodzenie płuc, jeżeli zawartość żołądka przedostanie się przez górną część przełyku do tchawicy, następnie zaś do płuc. Ból i trudności z oddychaniem mogą tak rozstroić maleństwo, że będzie odmawiało jedzenia i schudnie, co jeszcze bardziej skomplikuje sytuację. Z choroby refluksowej może wywiązać się nawet zapalenie ucha i płuc.

Kilka sposobów na refluks żołądkowo-przełykowy

1. Po każdym karmieniu potrzymajcie dziecko pionowo, żeby odbiło połknięte powietrze (zob. rozdział 2).

2. Sprawdźcie, jaką pozycję przyjmuje dziecko podczas karmienia i zaraz po nim. W czasie karmienia ułóżcie niemowlę pod kątem 30 stopni, po karmieniu dziecko powinno pozostać w takiej pozycji przez co najmniej 30 minut, a jeżeli to konieczne – dłużej.

3. Nie sadzajcie malucha w pozycji wyprostowanej na dziecięcym krzesełku. Mija się to z celem, ponieważ dziecko zwykle opada do przodu.

4. Karmcie dziecko częściej mniejszą ilością pokarmu. Za każdym razem podawajcie mu nieco mniej, dopóki nie przestanie obficie ulewać. Spróbujcie zmniejszyć zwykłą porcję o 30–60 ml, żeby sprawdzić, czy to pomoże. Pamiętajcie jednak, że wówczas trzeba karmić częściej, aby całkowita ilość wypijanego mleka czy mieszanki na dobę była taka sama.

5. Niektórzy lekarze radzą zagęszczanie mieszanki kaszką, żeby pokarm łatwiej zostawał w brzuszku. Uważajcie jednak, aby pokarm nie był zbyt gęsty, nie zbrylał się i nie zatykał smoczka, by dziecko nie musiało wkładać zbyt dużego wysiłku w ssanie. W licznych badaniach nie udało się jednak wykazać, że ta metoda ma jakiekolwiek znaczenie.

6. Lekarz może przepisać leki neutralizujące kwasy żołądkowe, a także wspomagające pracę żołądka, by treść pokarmowa przedostawała się dalej do jelit, zamiast cofać do przełyku. Tę możliwość powinno się rozważyć zwłaszcza w przypadkach zaostrzonego refluksu, który zaburza oddychanie lub prawidłowy rozwój dziecka.

Jeżeli poważny refluks i ból się utrzymują, dziecko będzie wymagało konsultacji u specjalisty (gastroenterologa dziecięcego). Przyczyną wymiotów może być również alergia na mleko. Maluch może potrzebować specjalnych badań diagnostycznych w celu ustalenia skali problemu i ewentualnego dalszego, bardziej intensywnego leczenia. Niespełna 10% niemowląt cierpiących na refluks żołądkowo-przełykowy wymaga interwencji chirurgicznej, ale w większości przypadków pediatra z pewnością doradzi nieinwazyjne sposoby na ograniczenie wymiotów.

Układając dziecko na brzuszku (w tej pozycji nie zostawiajcie go samego, żeby nie zasnęło) lub na plecach z lekko uniesioną główką, zaplanujcie spokojną zabawę, żeby uniknąć zbytniego pobudzenia, które mogłoby spowodować wyrzut treści żołądkowej. To sprawdza się u większości niemowląt, a zwieracz przełyku z czasem dojrzeje i się wzmocni.

Refluks na ogół ustępuje około siódmego miesiąca życia. Dalszą poprawę widać wyraźnie u dziewięciomiesięcznych niemowląt, które potrafią już samodzielnie utrzymać się w pozycji siedzącej podczas karmienia i po nim. Po skończeniu 2 lat objawy refluksu żołądkowo-przełykowego zazwyczaj mijają na dobre.

Zwężenie odźwiernika (pylorostenoza)

Chlustające wymioty – tak gwałtowne, że częściowo strawiony pokarm wystrzela z ust dziecka na dużą odległość – mogą świadczyć o poważniejszym problemie, jakim jest zwężenie odźwiernika. Przerostowe zwężenie odźwiernika polega na tym, że odźwiernik – końcowy odcinek żołądka przechodzący w dwunastnicę (początkowy odcinek jelita cienkiego) – jest nadmiernie zwężony, co utrudnia przemieszczanie się pokarmu z żołądka do dwunastnicy. Powoduje to chlustające wymioty (wyrzucane na odległość 30–120 cm), które pojawiają się po kilkunastu minutach od karmienia. Te charakterystyczne wymioty zaczynają się zazwyczaj między trzecim a szóstym tygodniem życia. Jeżeli w tym wieku powtórzą się kilkakrotnie, powinniście jak najszybciej skontaktować się z lekarzem.

Pylorostenoza jest schorzeniem rzadkim i częściej występuje u chłopców niż u dziewcząt. Zakłóca przybieranie na wadze i prawidłowy rozwój niemowlęcia, jeżeli więc zostanie rozpoznana, pediatra zaleci niezwłoczne leczenie operacyjne. Nigdy nie lekceważcie chlustających wymiotów u swojego dziecka.

Zachowanie przy stole

Dziecko uczy się dobrych manier przy stole, naśladując rodziców i starsze rodzeństwo. Nie oczekujcie jednak, że opanuje je przed ukończeniem 4 lub 5 lat. Mimo to przewidujący rodzice powinni od samego początku dawać dobry przykład zachowań, które chcą kształtować u dziecka. Rodzic, który zawsze mówi „dziękuję", gdy maluch częstuje go rozmoczonym ciastkiem, daje mu w ten sposób do zrozumienia, że podziękowanie jest pożądane. Jednak nie należy oczekiwać, że dwulatek podziękuje sam z siebie, w tym wieku ogranicza się raczej do imitowania dorosłych.

Trzylatek coraz częściej mówi „dziękuję" i grzecznie wita się z babcią, przy stole używa też łyżki lub widelca, ale równie dobrze może się podroczyć z rodzicami, upuszczając sztućce. Raz grzecznie powie „dziękuję", innym razem burknie coś pod nosem. Nie oczekujcie stuprocentowej konsekwencji pod tym względem. Kluczem do sukcesu jest cierpliwe powtarzanie. Jeżeli wymagacie od dziecka zbyt wiele i irytujecie się, nie widząc efektów, obrzydzicie mu naukę manier przy stole. Będzie to dla niego tylko przykra uciążliwość, a nie sposób na okazanie szacunku innym, zdobywanie sympatii otoczenia i uczenie się swojego miejsca w świecie.

W wieku 4 lat dziecko zaczyna rozumieć i doceniać swój wpływ na otoczenie. Cztero- i pięciolatki są świadome, że zasady dobrego zachowania mają ogromne znaczenie, a dzięki nim mogą zdobyć aprobatę otoczenia. Zaczynają więc wypróbowywać skuteczność tych zasad. Od czasu do czasu maluch używa serwetki. Stara się pokroić nożem potrawy na talerzu. Użyje sztućców, choć może dopiero wtedy, gdy palce zaczną mu się kleić, a może dlatego, że fajniej jest nabijać marchewkę na widelec zamiast nabierać na łyżkę. Dobre maniery kształtują się powoli, krok po kroku.

Od dzieci sześcioletnich i starszych można już wymagać ogłady przy stole. Wciąż jednak rodzice muszą cierpliwie przypominać i powtarzać zasady. Dziecku w tym wieku możecie nawet z góry zapowiedzieć, czego oczekujecie, na przykład: „Kiedy będziemy jedli obiad wspólnie z gośćmi, nie zapomnij poprosić o pozwolenie, jak będziesz chciała odejść od stołu". Natomiast wywieranie presji może odebrać mu motywację do samodzielnego podejmowania interakcji z innymi.

Jedzenie przed telewizorem

Każdy rodzic, który karmi dziecko przed telewizorem, tworzy grunt pod przyszłe problemy. „Ależ skąd, telewizja ją absorbuje i dzięki temu znacznie lepiej je" – tłumaczą niektórzy. Być może, ale moim zdaniem nie wolno łączyć jedzenia z oglądaniem telewizji.

Telewizja nadmiernie pobudza wszystkie zmysły dziecka. Malucha, którego podczas jedzenia trzeba czymś zająć, lepiej wciągnąć w ciekawą rozmowę. Dziecko powinno spożywać posiłki w spokojnej, odprężającej atmosferze, tak żeby nauczyło się skupiać uwagę na swoim organizmie oraz sygnałach głodu i sytości. Jeżeli nie rozpoznaje, że się najadło, i opycha się tak długo, jak długo trwa jego ulubiony program telewizyjny, poważnie naraża się na otyłość.

Oglądanie telewizji a posiłki

1. Całkowity zakaz oglądania telewizji (podobnie jak jedzenia niezdrowej żywności) może się sprawdzić tylko na krótką metę.
2. Zachęcajcie dziecko do rozwiązań długofalowych, takich jak sport, zabawy ruchowe, gry planszowe i inne atrakcyjne możliwości zastąpienia telewizji.

3. Dzieci, które nie wychowują się przed telewizorem, częściej stwierdzają, że inne zajęcia, do których je przyzwyczaicie, są znacznie ciekawsze od większości programów.

4. Zamiast sadzać dziecko przed telewizorem, żeby nie przeszkadzało, kiedy przygotowujecie kolację, poproście je o pomoc w kuchni lub o nakrycie do stołu.

5. Jeżeli musicie mieć telewizor, wystarczy jeden odbiornik w domu. Telewizor słabszej jakości, który nienajlepiej odbiera, nie będzie zbyt atrakcyjny dla dziecka. Postawcie go w pomieszczeniu, w którym domownicy nie spędzają zbyt dużo czasu – pod żadnym pozorem nie stawiajcie go w kuchni ani w sypialni dziecka.

6. Nigdy nie jedzcie przed telewizorem. Jedzenie powinno być zarezerwowane wyłącznie na pory posiłków i zaplanowanych przekąsek; pozwalajcie domownikom jeść tylko przy stole kuchennym lub w jadalni. Zobaczycie, o ile łatwiej będzie wam utrzymać czystość w domu – chociaż wasz pies może nie będzie tym zachwycony!

7. Nie bądźcie jednak zbyt surowi i nieugięci, jeśli chodzi o telewizję. Zamiast całkowitego zakazywania jej oglądania (co w niektórych rodzinach może się sprawdzić, ale w innych przyniesie odwrotne skutki), wybierzcie jakiś ciekawy program lub film, by go wspólnie obejrzeć.

Telewizja, nawet kiedy nie jemy podczas oglądania, jest naszym głównym rywalem, jeśli chodzi o zdobywanie serc i umysłów dziecięcych. Jeżeli pozwolicie dziecku jeść na wprost ekranu, jeszcze trudniej wam będzie odciągnąć od niego malucha. Dzieci przywykłe do posiłków przed telewizorem będą odruchowo sięgać po przekąski za każdym razem, kiedy zechcą coś obejrzeć. Podjadanie poza ustalonymi porami posiłków i przekąsek może zaburzyć apetyt i przyczyniać się do otyłości.

Czas spędzony przed telewizorem to czas stracony dla aktywności ruchowej, co jest kolejnym czynnikiem ryzyka otyłości. Ponadto pod wpływem reklam telewizyjnych dzieci sięgają po niezdrową żywność podczas oglądania. Telewizja jest głównym sprawcą problemu, który w Stanach Zjednoczonych osiągnął już kolosalne rozmiary – otyłości dziecięcej i związanych z nią kłopotów zdrowotnych w późniejszym życiu, takich jak nadciśnienie i cukrzyca. Bierne wpatrywanie się w telewizor oraz wysokokaloryczna, niepełnowartościowa dieta i nieregularne pory posiłków stwarzają poważne zagrożenie dla zdrowia dzieci. Nie pozwalajcie swoim pociechom jeść przed telewizorem!

Posiłki przed telewizorem kradną rodzinie czas, który powinna spędzać na wzajemnych kontaktach. Jeżeli teraz stracicie tę sposobność do rozmów i nawiązania trwałej więzi, to będzie bardziej prawdopodobne, że wasze dziecko jako nastolatek zamknie się przed wami. Przy posiłkach starajcie się stworzyć jak najprzyjemniejszą, radosną atmosferę. Mniejszą wagę przywiązujcie do ilości zjedzonych pokarmów, większą zaś do bycia razem – na dłuższą metę to się bardzo opłaci.

Rozrzucanie jedzenia

Prawie wszystkie dzieci między dziewiątym a dwunastym miesiącem życia zrzucają jedzenie na podłogę, jeżeli damy im więcej niż mają ochotę zjeść. Właściwie większość z nich eksperymentuje w ten sposób, nawet jeśli nie dostaje za dużo. Rozłóżcie sporą ceratę pod krzesełkiem dziecka, pozwólcie „posprzątać" psu lub karmcie malucha w pustej wannie, gdzie bałagan nie będzie miał znaczenia.

Najlepiej położyć przed dzieckiem tylko dwa kawałki jedzenia. Jeżeli jest głodne, a dostanie tylko tyle, najprawdopodobniej włoży je w buzi. Kiedy już połknie pierwszą porcję, dodajcie dwa następne kawałki. Nie stójcie nad maluchem i nie ponaglajcie go, kiedy je. W przeciwnym razie mimo woli zachęcicie go do buntu. Jeżeli zacznie się bawić jedzeniem albo zrzucać je na podłogę, wyjmijcie go z krzesełka i rzeczowym tonem powiedzcie: „Już ci wystarczy – do następnego posiłku".

Nie reagujcie przesadnie na odmowę lub zrzucanie jedzenia. Spokojne, stonowane stwierdzenie lepiej trafi do dziecka. Szybko zrozumie, że jeśli chce jeść, to powinno jeść, a nie rozrzucać pokarm. Niech wie, że takie postępowanie jest wyraźnym sygnałem zakończenia posiłku.

Wegetarianizm

Przez większą część pierwszego roku życia większość niemowląt żywi się przede wszystkim pokarmem matki lub mieszanką mleczną, które zaspokajają potrzeby żywieniowe maluszków. Dzieci w wieku poniemowlęcym i starsze z rodzin wegetarian mogą nadal, nie jedząc mięsa, otrzymywać wszystkie potrzebne im składniki odżywcze. Rodzice muszą jednak dołożyć specjalnych starań, żeby zapewnić im odpowiednie ilości pewnych składników – na przykład białka, żelaza, wapnia i witaminy B$_{12}$.

Doskonałymi źródłami białka są produkty mleczne i jaja (dla wegetarian, którzy włączają je do swego jadłospisu), kasze, inne produkty zbożowe z pełnego przemiału oraz produkty sojowe. Żelazo z mięsa jest łatwiej przyswajalne niż żelazo zawarte w źródłach roślinnych, ale na potrzeby dzieci wystarczy ilość zawarta w produktach z pełnego ziarna, kaszkach wzbogaconych żelazem, warzywach strączkowych (ciecierzycy, soi, czarnej fasoli i innych), niektórych zielonych warzywach liściastych (np. szpinaku), zielonym groszku i suszonych owocach. Jeżeli mały wegetarianin nie je również nabiału, zapotrzebowanie na wapń można uzupełnić, podając mu soki owocowe wzbogacone wapniem, produkty zbożowe, a także mleko sojowe i ryżowe. Niektóre gatunki fasoli, orzechów i zielonych warzyw liściastych również zawierają wapń. Witamina B$_{12}$ jednak zawarta jest tylko w produktach zwierzęcych. Jeżeli jadłospis dziecka nie obejmuje jaj i nabiału, konieczne jest włączenie artykułów wzbogaconych tą witaminą lub suplementacja.

Witaminy i składniki mineralne

Zdaniem wielu lekarzy liczne produkty żywnościowe i mieszanki mleczne dla dzieci są tak dobrze wzbogacone witaminami i składnikami mineralnymi, że nie ma potrzeby podawać maluchom żadnych dodatkowych preparatów, o ile na co dzień otrzymują pełnowartościowe posiłki. Jednak bardzo grymaśne starsze niemowlęta i pędraki w wieku poniemowlęcym często zrażające się do różnych potraw mogą co jakiś czas potrzebować uzupełnienia diety preparatami witaminowymi. Jeżeli rodzice mają pewność, że suplementy zaspokoją znaczące, choćby i tymczasowe, niedobory w diecie dziecka, jest to dla nich dużo prostsze niż wdawanie się w przepychanki o jedzenie.

Suplementy witaminowe to niezbyt wysoka cena za komfort, jaki daje pewność, że potrzeby żywieniowe dziecka są właściwie zaspokajane. Korzystanie z multiwitaminy w celu pokrycia niedoborów spowodowanych przejściową niechęcią do warzyw jest pewnym i prostym sposobem uniknięcia sytuacji, w której odmowa jedzenia przerodzi się w regularną wojnę i wywoła znacznie większy i długotrwały problem. Warto z niego korzystać!

W okresie niemowlęcym pediatra może zalecić witaminy w kroplach (np. witaminę D czy żelazo), które najłatwiej podawać, kiedy dziecko jest ułożone do karmienia i gotowe na picie mleka. Witaminowe pastylki do ssania podawane starszym dzieciom zachęcają je do aktywnego uczestnictwa. Należy jednak zachować ostrożność: możliwe, że dziecko zasmakuje w pastylkach i będzie chciało zjeść ich więcej. Nigdy nie zostawiajcie tabletek na wierzchu! Wszędobylski pędrak w wieku poniemowlęcym może łatwo przedawkować witaminy, bo są „takie pyszne". Przechowujcie tabletki witaminowe w szczelnie zakręconym pojemniku, w zamkniętej szafce poza zasięgiem dziecka.

Niemowlęta i nieco starsze dzieci potrzebują odpowiednio zbilansowanego zestawu witamin, składników mineralnych i pierwiastków śladowych. Potrzebne im są konkretne, regularnie podawane ilości każdego z nich. Nie ma witamin lepszych i gorszych, a więcej niekoniecznie znaczy lepiej. Nadmiar niektórych witamin zostanie po prostu wydalony z organizmu zdrowego dziecka, jednak nadmiar innych może poważnie szkodzić. Niedobór jakiejkolwiek witaminy, składnika mineralnego czy mikroelementu może wywołać widoczne objawy. Zapytajcie lekarza, czy dieta dziecka jest prawidłowa, jeśli się obawiacie, że czegoś w niej brakuje. W przypadku kilku witamin i składników mineralnych zapewnienie odpowiedniej dawki w diecie bez suplementów może być trudne. Należą do nich żelazo, wapń, witamina D, a w przypadku wegetarian także witamina B_{12}.

Żelazo

Do czwartego, a nawet szóstego miesiąca życia niemowlę ma zazwyczaj dostateczne zapasy żelaza w organizmie nagromadzone w życiu płodowym. Jednak między czwartym a szóstym miesiącem maluch potrzebuje już więcej żelaza, czasami więcej niż zawiera pokarm matki czy niewzbogacona mieszanka. Niemowlęta karmione piersią często przyswajają żelazo łatwiej niż dzieci na mleku modyfikowanym, a mieszanki na ogół wzbogaca się tym pierwiastkiem. W sprawie podawania suplementów żelaza poradźcie się lekarza.

Bez odpowiedniej ilości żelaza niemowlętom i małym dzieciom zagraża anemia (niedobór hemoglobiny i krwinek czerwonych). Obecnie się sądzi, że brak żelaza może niekorzystnie wpływać na rozwój mózgu i układu nerwowego i przyczyniać się do późniejszych trudności w uczeniu się.

Wapń

Wapń jest istotny dla prawidłowego rozwoju układu kostnego. Na szczęście dla większości niemowląt i małych dzieci mleko zawiera dużo wapnia. Później jednak maluchy piją mniej mleka niż potrzebują. Nabiał – sery, jogurty, lody – również stanowi dobre źródło wapnia, a pierwiastek ten jest też często dodawany do soków pomarańczowych. Przyswajanie wapnia przez kościec jest wyjątkowo ważne właśnie w okresie dzieciństwa, a bardzo ważne w okresie dojrzewania. Nastolatki potrzebują około 1200 mg wapnia na dobę, żeby uchronić się przed osteoporozą (osłabieniem i łamliwością kości) w dorosłym życiu. Jednak większość z nich (według niektórych badań 60% dorastających chłopców i 80% dziewcząt) nie otrzymuje w diecie dostatecznej ilości wapnia. Jest to poważny problem, ponieważ kości dorosłego człowieka nie wchłaniają już wapnia tak łatwo i w takiej ilości jak kościec dziecka.

Witamina D

Przyswajanie wapnia jest uzależnione od odpowiedniej ilości witaminy D. Jej dobrym źródłem jest wzbogacone mleko, czasami jest także dodawana do soków pomarańczowych (stałe produkty nabiałowe, takie jak ser, nie zawierają jednak jej dodatku). Zalecana obecnie przez Amerykańską Akademię Pediatrii dawka dobowa to 200 jednostek międzynarodowych dla niemowląt, poczynając od drugiego miesiąca życia, przez całe dzieciństwo i okres dojrzewania[14]. Wielu lekarzy uważa, że zapotrzebowanie wynosi 400 jednostek międzynarodowych na dobę. Wprawdzie większość mieszanek modyfikowanych zawiera dodatek witaminy D, jednak w mleku matki nie ma jej w dostatecznej ilości. Zapytajcie pediatrę, czy wasze dziecko powinno dostawać suplement witaminy D, przynajmniej do momentu, kiedy zostanie odstawione od piersi i zacznie codziennie pić mleko wzbogacone tą witaminą. Należy jednak uważać, żeby jej nie przedawkować, ponieważ w nadmiarze jest szkodliwa.

Niedobór witaminy D, powodujący słabe przyswajanie wapnia i osłabienie kośćca, częściej występuje u mieszkańców regionów, w których jest mniej słonecznych dni w roku, a także u osób ciemnoskórych i z ciemną karnacją. Światło słoneczne pochłaniane przez skórę aktywuje bowiem witaminę D. Bez odpowiedniego kontaktu ze słońcem w organizmie nie powstanie ilość aktywnej jej postaci potrzebna, aby zapewnić prawidłowe przyswajanie wapnia i rozwój mocnych kości. U małych dzieci niedobór wapnia lub witaminy D może prowadzić do krzywicy i szpotawości nóg. Współcześnie stanowi to jeszcze większy problem niż dawniej, ponieważ lekarze zalecają,

---

[14] Jak już wspomniano wcześniej, w Polsce zaleca się profilaktyczną dawkę 500 j.m. na dobę od 4 tygodnia życia dla niemowląt zdrowych i 1000 j.m. na dobę od 4 tygodnia życia dla wcześniaków, bliźniąt i niemowląt żyjących w złych warunkach socjalnych (przyp. red.).

żeby dzieci i dorośli (włącznie z matkami karmiącymi piersią) unikali kontaktu ze słońcem ze względu na zagrożenie rakiem skóry. Zapytajcie lekarza o suplementy witaminy D dla swojego malucha, zwłaszcza jeżeli macie ciemną karnację, w waszym klimacie panują długie zimy i jest dużo pochmurnych dni albo przyjmujecie zbyt mało witaminy D w diecie.

Bibliografia

Dla rodziców

Abrams R. S., *Will it hurt the baby? The safe use of medications during pregnancy and breastfeeding*, Reading: Addison-Wesley 1990.

American Academy of Pediatrics, *Pediatric food allergy*, „Pediatrics" 2003, nr 111(6).

Benoit D., *Failure to thrive and feeding disorders*, w: *Handbook of infant mental health*, red. C. H. Zeanah, New York: Guilford Press 2000.

Brazelton T. B., Sparrow J. D., *Grzeczne dziecko. Jak ustalać zdrowe granice i wspierać samodzielność*, przeł. A. Cioch, Sopot: Gdańskie Wydawnictwo Psychologiczne 2014.

Brazelton T. B., Sparrow J. D., *Rozwój dziecka. Od 0 do 3 lat*, przeł. A. Błaż, Sopot: Gdańskie Wydawnictwo Psychologiczne 2013.

Brazelton T. B., Sparrow J. D., *Rozwój dziecka. Od 3 do 6 lat*, przeł. A. Kacmajor, A. Sulak, Sopot: Gdańskie Wydawnictwo Psychologiczne 2013.

Brazelton T. B., Sparrow J. D., *Sen dziecka. Jak zapomnieć o nie-przespanych nocach*, przeł. A. Cioch, Sopot: Gdańskie Wydawnictwo Psychologiczne 2014.

Brazelton T. B., Sparrow J. D., *Uspokajanie dziecka*, przeł. A. Cioch, Sopot: Gdańskie Wydawnictwo Psychologiczne 2014.

Cashdan E., *A sensitive period for learning about food*, „Human Nature" 1994, nr 5(3), s. 279–291.

Chang T.-L., *Gastroesophageal reflux*, w: *Ambulatory pediatric care*, red. R. Dershewitz, Philadelphia: Lippincott-Raven 1999.

Children's hospital guide to your child's health and development, red. A. Woolf, M. Kenna, H. Shane, Cambridge: Perseus Publishing 2001.

Curtis G. B., Schuler J., *Ciąża. Poradnik dla przyszłych ojców*, przeł. B. Orłowska, Warszawa: Amber 2004.

Encounters with children, red. S. Dixon, M. Stein, St. Louis: Mosby 2000.

Failure to thrive and pediatric undernutrition: A transdisciplinary approach, red. D. B. Kessler, P. Dawson, Baltimore: Brookes Publishing 1999.

Feinbloom R. I., *Pregnancy, birth, and the early months: The thinking woman's guide*, Cambridge: Perseus Publishing 2000.

From neurons to neighborhoods: The science of early childhood development, red. J. P. Shonkoff, D. A. Phillips, Washington: National Academy Press 2000.

Gartner L. M., Greer F. R., *Prevention of rickets and vitamin D deficiency: New guidelines for vitamin D intake. An American Academy of Pediatrics clinical report*, „Pediatrics" 2003, nr 111(4), s. 908–910.

Hallberg L., Hoppe M., Anderson M., Hulthen L., *The role of meat to improve the critical iron balance during weaning*, „Pediatrics" 2003, nr 111(4), s. 864–870.

Hirschmann J. R., Zaphirpoulos L., *Preventing childhood eating problems: A practical, positive approach to raising children free of food and weight conflicts*, Carlsbad: Gurze Books 1993.

Law K. L., Stroud L. R., LaGasse L. L., Niaura R., Liu J., Lester B. M., *Maternal smoking during pregnancy and newborn neurobehavior*, „The Journal of Pediatrics" 2009, nr 111(6), s. 1318–1323.

Leach P., *Your baby and child: From birth to age five*, New York: Knopf 1997.

Ludwig D. S., *The glycemic index: Physiological mechanisms relating to obesity, diabetes, and cardiovascular disease*, „Journal of the American Medical Association" 2002, nr 87(18), s. 2415–2423.

Mason D., Ingersoll D., *Breastfeeding and the working mother*, New York: St. Martin's Press 1986.

Pipes P. L., Trahms C. M., *Nutrition in infancy and childhood*, St. Louis: Mosby 1993.

Pruett K., *Fatherneed: Why father care is as essential as mother care for your child*, New York: Free Press 2000.

Radzyminsky S., *The effect of ultra low dose epidural analgesia on newborn breastfeeding behaviors*, „Journal of Obstetric, Gynecologic, and Neonatal Nursing" 2003, nr 32(3), s. 322–331.

Ramsay M., *Feeding disorder and failure to thrive*, „Child and Adolescent Psychiatric Clinics of North America" 1995, nr 4(5), s. 605–616.

Ransjo-Arvidson A. B., Matthiesen A. S., Lilja, G., Nissen, E., Widstrom, A. M., Uvnas-Moberg K., *Maternal analgesia during labor disturbs newborn behavior: Effects on breastfeeding, temperature, and crying*, „Birth" 2001, nr 28(1), s. 5–12.

Rosenberg R., Greening D., Windell J., *Conquering postpartum depression: A proven plan for recovery*, Cambridge: Perseus Publishing 2003.

Samour P. Q., King K., *Handbook of pediatric nutrition*, Sudbury: Jones and Bartlett 2005.

Schlosser E., *Kraina fast foodów. Ciemna strona amerykańskich szybkich dań*, przeł. L. Niedzielski, Warszawa: Muza 2005.

Sepkoski C., Lester B., Ostheimer G., Brazelton T. B. *The effect of maternal anesthesia on neonatal behavior during the first month*, „Development and Medical Child Neurology" 1992, nr 34(2), s. 1072–1080.

Sparrow J. D., *Adolescent eating disorders*, w: *Ambulatory pediatric care*, red. R. Dershewitz, Philadelphia: Lippincott-Raven 1998.

The Yale guide to children's nutrition, red. W. V. Tamborlane, New Haven: Yale University Press 1997.

Thirion M., *L'allaitement*, Paris: Albin Michel 1994.

Walker W. A., Watkins J. B., *Nutrition in pediatrics – basic science and clinical application*, Hamilton: Decker 1996.

Woolston J. L., *Eating and growth disorders in infants and children*, Newbury Park: Sage Publications 1991.

Dla dzieci

Baer E., Bjorkman S., *This is the way we eat our lunch: A book about children around the world*, New York: Scholastic Books 1995.

Cole J., Relf P., *The magic school bus gets eaten: A book about food chains*, New York: Scholastic Books 1999.

Seuss Dr., *Kto zje zielone jajka sadzone?*, przeł. S. Barańczak, Poznań: Media Rodzina 2004.

GDAŃSKIE WYDAWNICTWO PSYCHOLOGICZNE

Bajka może być lekiem na całe zło. Kiedy nasze dziecko czegoś się boi lub czymś martwi, a my nie bardzo wiemy, jak mu pomóc, doskonałym środkiem zaradczym może okazać się opowiadanie, ułożone specjalnie dla niego.

www.gwp.pl

62025